LOS SIETE ERRORES QUE COMETEN LOS BUENOS PADRES

Los siete errores que cometen los buenos padres

John y Linda Friel

AGUILAR

Título original: *The 7 worst things parents do*
© John Friel and Linda Friel
Published by agreement with Health Communications, Inc.
3201 S.W. 15th Street, Deerfiled Beach, Fl, 33442

© De esta edición:
2007, Santillana USA Publishing Company, Inc.
2105 NW 86th Avenue
Doral, FL 33122
(305) 591-9522
www.alfaguara.net

Traducción: Gerardo Hernández Clark
Diseño de portada: Antonio Ruano Gómez
Diseño de interiores: La Buena Estrella Ediciones S.A. de C.V.

Primera edición: noviembre de 2007
Primera reimpresión: julio de 2008

ISBN-10: 1-60396-008-2
ISBN-13: 978-1-60396-008-3

Índice

———

Agradecimientos 9
Advertencia y exención de responsabilidad 11

Parte I: Prepárate

1. Los siete grandes errores de los padres 15
2. Las reglas del juego 21

Parte II: Los siete errores

3. Consentir a tu hijo 31
4. Dejar tu matrimonio en último lugar 45
5. Inducir a tu hijo a demasiadas actividades 57
6. Pasar por alto tu vida emocional o espiritual 69
7. Ser el mejor amigo de tu hijo 87
8. No dar a tu hijo una estructura 107
9. Esperar que tu hijo realice *tus* sueños 125

Parte III: Hazlo:

10. Si las ratas pueden hacerlo, tú puedes 143
11. Las mejores cosas sobre los padres que
     deciden madurar: Una historia típica de éxito 157

Algunas recomendaciones finales 173

Referencias 183

Sobre los autores 187

AGRADECIMIENTOS

Llevábamos escrita una cuarta parte de otro libro cuando nuestra buena amiga Mary Pietrini, compañera terapeuta en la Clínica Clearlife/Lifeworks, nos sugirió que escribiéramos un libro sobre paternidad basado en el material que habíamos escuchado en diversas conferencias durante los catorce años anteriores. Desde entonces trabajamos en él durante nuestro tiempo libre. Queremos agradecer a Mary por trabajar con nosotros durante tantos años, y por conocernos y conocer nuestro trabajo tan bien como para hacer de repente una sugerencia como ésa.

También queremos agradecer al Dr. James Maddock, profesor de la Universidad de Minnesota y psicólogo clínico, por ser una guía para nosotros durante los muchos años que llevamos de conocerlo. Decir que sus aptitudes, sabiduría e integridad profesional como psicoterapeuta y maestro son extraordinarias es quedarse corto. Agradecemos especialmente los comentarios que nos hizo luego de leer uno de los manuscritos finales de este libro.

Deseamos dar las gracias a todos los individuos, parejas y familias con quienes hemos tenido el privilegio de trabajar en nuestro ejercicio privado en Minnesota, así como a todas las personas que han asistido a nuestros seminarios y talleres en ambos lados del Atlántico. La oportunidad de presentar y discutir nuestras ideas en público nos ha permitido mantenernos informados y enfrentar nuevos retos. Gracias también a todos los que han asistido a nuestras clínicas de tres días y medio del Clearlife/Lifeworks. Queremos agradecer a quienes corrieron lo que debió parecer un gran riesgo al asistir a una de ellas en búsqueda de un sendero para progresar.

Queremos dar las gracias a Peter Vegso, editor y propietario de Health Communications, por su interés y apoyo a nuestro trabajo; a nuestro editor Matthew Diener, por el hábil e inteligente manejo de este proyecto; y a Erica Orloff, por su minucioso trabajo de corrección y por sus sugerencias para mejorar este libro.

ADVERTENCIA Y EXENCIÓN
DE RESPONSABILIDAD

Hemos escrito este libro para ayudar a las familias que sufren cierta clase de problemas. Gran parte del material está dirigido a familias en crisis o que están al borde de ella pero no se han dado cuenta. Por ejemplo, la falta de control y de responsabilidad por parte de algunos niños ha despertado la preocupación de expertos en salud mental en todo Estados Unidos, como demuestran los artículos y programas que casi semanalmente aparecen en los medios de comunicación. Por esta razón, escribimos este libro de manera distinta a los anteriores. Éste fue diseñado con la intención de que reflexiones y analices estos siete errores de la paternidad.

Sabemos que ciertos errores exigen cierta cantidad de dinero, como sacar de apuros a los hijos cuando tienen problemas económicos. Asimismo, gran parte del material de este libro resulta pertinente, de una u otra manera, para todas las familias. Probablemente encontrarás ejemplos que por distintas razones no se aplican a tu familia; en tal caso, te invitamos a extrapolar las conclusiones a tu situación, o a ignorar el ejemplo. Si decimos que con frecuencia las personas se matan trabajando debido a una necesidad incontrolable de adquirir cosas, también sabemos que muchas familias de los estratos económicos más bajos trabajan muy duro sólo para sobrevivir. Si éste es tu caso, te pedimos que entiendas que no estamos refiriéndonos a ti.

Es importante señalar que estos siete errores no son los más graves que pueden cometer los padres: golpear, torturar o abusar sexualmente de los niños son mucho peores. Esperamos que esto resulte evidente para todos nuestros lectores. Elegimos este título porque conocemos a muchos padres que creen estar haciendo un gran trabajo sólo porque no torturan a sus hijos. En muchos casos, la realidad es muy distinta.

Por favor, ten esto presente mientras lees este libro.

Parte I:
Prepárate

1

Los siete grandes errores de los padres

"¿Qué puede convertir a un adulto inteligente y autónomo prácticamente en un pelele?"

Barbara Walters planteó esta pregunta al inicio de una cápsula *20/20* de ABC News sobre niños que controlan tiránicamente a sus padres. A lo largo de este valioso trabajo de periodismo, los televidentes observamos filmaciones de una madre que subía y bajaba de la cama con su pequeño hijo. Durante varias horas el niño manipuló a su madre, regateó, saboteó y prácticamente llevó la batuta mientras la madre le seguía el juego. Vimos a otro niño que tenía una taza llena de cepillos dentales y el esfuerzo obviamente fallido por lograr que se cepillara ofreciéndole "opciones". Observamos a otro niño lloriquear porque deseaba una lata de refresco con el desayuno. Su madre dijo "no", pero su padre cedió casi inmediatamente y dio el refresco a su hijo "para llevar la fiesta en paz". Es duro observar estos dolorosos ejemplos de padres bien intencionados que utilizan métodos aparentemente lógicos pero ineficaces. Es aún más duro ver niños que, si siguen llevando la batuta, se convertirán en casos perdidos de la psiquiatría para cuando sean adultos.

Una familia en problemas

Eric y Pamela nos consultaron por primera vez durante un descanso en uno de nuestros seminarios. Querían saber cómo manejar lo que describieron como un problema normal de su hijo. Parecían indecisos acerca de cuántos detalles revelar y dijeron que el niño mostraba cierta resistencia a cepillarse los dientes dos veces al día. Les ofrecimos una respuesta adecuada a los detalles que nos compartieron. Ellos parecieron satisfechos y nosotros continuamos con la persona que seguía en la fila.

Ocho semanas después notamos en nuestra agenda una cita con una pareja nueva, Eric y Pamela Jamison. Cuando los recibimos para la primera reunión, reconocimos a la pareja que nos había consultado varias semanas antes. Bobby, su hijo de cinco años, efectivamente se resistía a cepillarse los dientes de manera regular. Eso era sólo la punta del *iceberg*. También hacía rabietas cada vez que no obtenía lo que quería. Un análisis posterior reveló que hacía hasta cuatro rabietas fuertes cada día. Era común que se rehusara a comer lo que Pamela cocinaba y exigiera algo distinto, para rechazarlo también una vez que ella había consentido cocinar sólo para él. La hora de acostarse era una pesadilla que provocaba desavenencias cada vez más peligrosas entre Eric y Pamela, y las mañanas resultaban tan estresantes que Eric estaba considerando seriamente mudarse por temor a hacerle daño a Bobby.

Había más, mucho más, pero lo que llamó nuestra atención al conocer la estructura familiar fue su falta de definición. Estábamos observando una familia que había estado desintegrándose durante meses y estaba al borde de la desesperación. Dijimos a Eric y a Pamela lo siguiente:

1. "Los admiramos. Hace falta valor y sabiduría para admitir que tienen un problema y para buscar ayuda."
2. "Resulta evidente que aman mucho a Bobby."
3. "Sus objetivos generales para educar a Bobby son excelentes: quieren lo mejor para él; quieren que crezca sintiéndose amado; quieren que se convierta en una persona cariñosa y comprensiva; quieren que desarrolle los dones que Dios le dio; y quieren que sea competente emocional, social e intelectualmente. Esos objetivos son admirables."
4. "Parece que algunos de los métodos que han aprendido para lograr esos objetivos no están funcionando para ustedes y para Bobby. En nuestras sesiones de terapia intentaremos darles otras herramientas que pueden funcionar mejor."

En el capítulo 11 continuaremos con la historia de esta familia, así como con la solución exitosa de su problema.

Siete de los peores errores de la paternidad

Criar a un hijo es, por mucho, la experiencia más gratificante y más frustrante que puede haber para un ser humano. Lo decimos con base en nuestra experiencia y en la de muchas personas con quienes hemos trabajado. La educación de los hijos hace enormes exigencias a los recursos emocionales, financieros, intelectuales, espirituales y físicos de la pareja. No resulta sorprendente que las investigaciones sobre felicidad marital muestren que las parejas se sienten más satisfechas con sus matrimonios antes del nacimiento del primer hijo y después de que el último de ellos ha dejado el hogar. Por tanto, sentimos un profundo respeto por quienes actualmente realizan la tarea diaria de llevar a sus hijos de la infancia a la adultez independiente, la cual es el fin último de la paternidad.

Los padres que buscan libros sobre la crianza de los niños saben que hay una variedad desconcertante y casi infinita de títulos sobre el tema, lo cual sugiere que la educación de los hijos nos confunde y preocupa más que cualquier otra cuestión en el Universo. A pesar de su confusión e inseguridad, la mayoría de los padres se preocupa por lo que ocurre con sus hijos, y esto es bueno. Conforme somos catapultados al siglo XXI junto con nuestras computadoras portátiles, conexiones a internet, teléfonos celulares, faxes, localizadores, DVDs, 500 canales de televisión por cable y las omnipresentes noticias de CNN que nos informan sobre los sucesos más importantes de nuestro minúsculo planeta, es fundamental que las personas sigan preocupándose por los aspectos elementales de la vida.

Esto nos lleva al origen y al propósito de este libro. Hemos ejercido como psicólogos por mucho tiempo y damos gracias por el trabajo que realizamos. Algunas personas se sienten agradecidas por su talento artístico, otras por su perspicacia en los negocios y otras más por su sabiduría científica. Nosotros agradecemos la oportunidad diaria de trabajar con personas que han decidido esforzarse. No nos aburre; no volvemos a casa por las noches sintiéndonos agotados y vacíos. Y contrariamente a lo que podría pensarse respecto a nosotros por el título de este libro, de ningún modo creemos tener todas las respuestas "correctas". Lo que tenemos son muchos años de experiencia ayudando a las personas a superar sus problemas y, como resultado, hemos formulado algunas opiniones muy claras acerca de lo que funciona y de lo que no, para muchas personas.

Hemos trabajado en este campo el tiempo suficiente para saber que tan pronto se propone una regla universal para la crianza de los hijos, en algún lugar surge una excepción, lo que nos da a todos motivo para actuar con humildad. Por una parte, la vida es demasiado maravillosa, misteriosa y compleja para reducirla a una fórmula. Por otra, sin principios y reglas para vivir, nos convertiríamos en poco más que animales salvajes que merodean la Tierra en busca de su siguiente alimento, listos para matar a cualquiera que se interponga en nuestra búsqueda. Es una de las paradojas de la vida: las reglas y directrices en exceso nos dejan vacíos; la falta de ellas produce un peligroso caos.

Considerando lo anterior, nos propusimos una meta moderada: mostrarte siete de los temas más importantes sobre la crianza que hemos identificado en el curso de los años. La lista no es exhaustiva, y sabemos que algunos de los temas no serán pertinentes para ti; para algunas personas ninguno lo será. Como con el resto de nuestros libros, todo lo que pedimos es que le des una oportunidad a este material: que dediques un momento a reflexionar sobre los temas y no los rechaces de inmediato. Aunque no creemos tener todas las respuestas correctas, puede que algo del dolor que experimentas como padre se deba, al menos en parte, a uno de estos siete errores de la paternidad. Helos aquí, cada uno es un capítulo en la segunda parte del libro. Esperamos que resulten un desafío para ti.

1. Consentir a tu hijo.
2. Dejar tu matrimonio en último lugar.
3. Inducir a tu hijo a demasiadas actividades.
4. Pasar por alto tu vida emocional o espiritual.
5. Ser el mejor amigo de tu hijo.
6. No dar a tu hijo una estructura.
7. Esperar que tu hijo realice *tus* sueños.

2

Las reglas del juego

Es difícil ganar un juego si no conocemos las reglas. En el juego de la paternidad existen muchas reglas, pero aquí te mostramos las suficientes para ponerte en marcha en la dirección correcta. Tanto los niños como los padres se desempeñan mejor si tienen una estructura clara. Si te equivocas al tratar de instituir cambios en tu hogar, no te desanimes. Para ser un buen padre se necesita práctica. Simplemente regresa a este capítulo y léelo. Recuerda que a menudo confundimos "comprobado" con "trillado". Tal vez ya sabías qué es lo "correcto" pero perdiste el rumbo buscando una respuesta más glamorosa.

Cambios pequeños producen grandes resultados

Un cambio establecido de manera consistente puede modificar un sistema por completo. Imagina una de nuestras sondas espaciales dejando la órbita terrestre camino a Júpiter. Supón que está fuera de curso por una fracción de grado. Ahora supón que quienes la controlan no pueden corregir este pequeño error debido a un desperfecto en los propulsores de la nave. Por último, imagina dónde estará la sonda dentro de unos años, cuando debería estar entrando en la atmósfera de Júpiter. Estará a millones de millas de su objetivo. Pequeños cambios producen grandes resultados.

En ocasiones las personas inician una terapia esperando soluciones rápidas; buscan una varita mágica que cambiará su sistema familiar de la noche a la mañana. Olvidan que un pequeño cambio, mantenido de manera consistente e íntegra, puede modificar un sistema por completo. Obviamente un cambio así no ocurrirá de la noche a la mañana, hagas lo que hagas; requiere tiempo.

A menudo sugerimos a las personas visualizar un disco marcado con una escala de 360 grados y un fuerte resorte interno cuya función es mantener el disco en la marca de cero grados. Imagina que giras el disco 270 grados en dirección de las manecillas del reloj y lo sueltas, de manera que vuelva rápidamente a la posición inicial. Esto es lo que ocurre cuando queremos cambiar muchas cosas a la vez. Nuestra intención es buena, pero un cambio para el largo plazo necesita tiempo para afianzar su posición.

Ahora imagina que giras el disco siete grados y lo sostienes ahí durante doce meses, resistiendo la fuerza del resorte. Al cabo de ese tiempo, sueltas el disco y descubres que se mantiene en la marca de los siete grados: el resorte se ha ajustado a la nueva posición. Descubres también que muchos otros aspectos de tu vida han cambiado de manera importante debido al crecimiento interno que resulta de trabajar pacientemente en pos de ese objetivo en vez de buscar una solución rápida.

Disfunción casi siempre significa lo extremo

Lo contrario de disfuncional es disfuncional. He aquí algunos ejemplos de extremos tan disfuncionales como sus opuestos, al menos en la superficie:

1. Personas excesivamente dependientes, indefensas y quejumbrosas, y personas que niegan su dependencia y son, por lo tanto, excesivamente independientes y autónomas.

2. Personas que se enojan y hacen hoyos en las paredes a puñetazos, y personas que se enojan y permanecen en silencio dos días para castigarte.

3. Personas que nunca derraman una lágrima y personas que lloran constantemente.

4. Personas que establecen demasiados límites a sus hijos y personas demasiado permisivas.

5. Familias que casi no conviven y familias que pasan casi todo el tiempo juntas, en detrimento de otras relaciones e intereses.

6. Personas con sistemas de creencias muy rígidos y personas con sistemas poco firmes o sin ellos.

Luchar es bueno

La lucha es buena. Sin ella no estaríamos vivos, no tendríamos una razón de existir, no conoceríamos la sensación de logro. La única etapa de nuestra breve vida en que no tenemos que luchar es cuando estamos en el vientre de nuestra madre, pero la lucha empieza con el nacimiento y el parto. Cuando los padres intentan eliminar todos los obstáculos del camino de sus hijos acaban por crear un mundo de fantasía y una prisión emocional para ellos. Si el hogar es el único lugar de la Tierra donde el niño no necesita luchar, y si no ha aprendido a valorar la lucha, no se irá de casa. No puede hacerlo: está destinado a la frustración. Aun si deja físicamente el hogar, no madurará ni lo dejará emocionalmente. En estas circunstancias, ¿por qué habría de hacerlo?

No podemos cambiar lo que no queremos admitir, y lo que no admitimos suele controlarnos

Si tu hogar es un caos, tus hijos están fuera de control, sientes resentimiento hacia tu cónyuge porque los solapa todo el tiempo, y fantaseas con escapar a una isla tropical, pero no estás dispuesto a aceptar estos sentimientos frente a nadie, ni siquiera frente a ti mismo, es improbable que logres cambiar tu situación. Si no admites que tienes un problema, ¿cómo puedes solucionarlo? También debes ventilar tus sentimientos: lo que no se habla tiende a regir nuestros actos. Decir que quieres escapar no es el fin del mundo; esperar hasta que efectivamente lo hagas puede ser el fin de un mundo saludable para ti.

Tus hijos no se estropearán si les permites madurar

Esto probablemente sea un corolario a "luchar es bueno", pero el temor de que nuestros hijos se estropearán si necesitan luchar es tan real y poderoso para algunos padres que quisimos decirlo de nuevo con otras palabras. Si fuiste mimado y consentido en tu niñez o, por el contrario, maltratado y menospreciado, puedes creer que tus hijos se estropearán si les permites madurar. Por supuesto los niños son increíblemente fuertes, y en estos casos recomendamos que los padres enfrenten las carencias de su infancia en vez de proyectarlas en sus hijos. La paternidad es mucho más sencilla si los fantasmas de nuestro pasado no nos controlan inconscientemente.

Unas cuantas reglas aplicadas de manera consistente y sin abuso son más eficaces que muchas reglas aplicadas de manera inconsistente

Esto es una conclusión parcial a "cambios pequeños producen grandes resultados". El objetivo es lograr un equilibrio. Cuando vemos a padres que tratan de imponer decenas de pequeñas normas sabemos que en cierta forma se encuentran desesperados. Si logran que sus hijos obedezcan estas decenas de reglas —lo cual es prácticamente imposible— a menudo es porque son demasiado duros o porque resultan atemorizantes para ellos. Asimismo, cuando vemos a padres que imponen pocas reglas y lo hacen de manera inconsistente, sabemos que habrá problemas.

Para los niños, los modales básicos, una hora regular para acostarse con rituales previos como la ducha y cepillarse los dientes, un par de quehaceres domésticos, y una o dos reglas más, son suficientes si se hacen cumplir de manera consistente. La única manera en que los niños desarrollan una estructura interna es mediante la estructura externa. Los niños que crecen con límites con los que pueden contar, por ejemplo una hora regular para acostarse, desarrollarán una clara estructura interna que les servirá para toda la vida. Una regla tan simple como ésta puede no parecer importante, pero sin duda lo es.

Los niños incompetentes no pueden tener una autoestima elevada

En algún momento, camino al siglo XXI, algunos adultos llegaron a la conclusión de que si alababan constantemente a los niños por cualquier cosa que hicieran, éstos desarrollarían una elevada autoestima. Eso fue probablemente una reacción a las severas y humillantes prácticas anteriores a este "movimiento de la autoestima", pero debemos recuperar el rumbo. Lo opuesto a disfuncional también es disfuncional. Por supuesto que debemos alabar a nuestros hijos cuando hacen bien las cosas, pero también debemos dejar que resuelvan solos sus problemas, y que su recompensa sea haberlos resuelto por sí mismos.

Debemos enseñar a nuestros hijos a vivir. No basta envanecerlos con elogios vacíos por un trabajo mediocre. Debemos guiarlos, enseñarlos, corregirlos y ayudarlos a ser competentes. Después de todo, la autoestima es resultado de la competencia, no de la incompetencia. Nunca hemos conocido a un ser humano que no tenga algo que ofrecer al mundo. Nuestro trabajo como padres es ayudar a nuestros hijos a descubrir sus dones y a desarrollarlos.

Las conductas malsanas tienen motivos y recompensas (de otro modo no las adoptaríamos)

Esto es un corolario a "no podemos cambiar lo que no queremos admitir". Debemos ser honestos respecto a los motivos de nuestras conductas malsanas. Toda conducta humana tiene un motivo. No hacemos las cosas sin una razón. ¿Por qué una persona puede beber hasta morir? Porque el dolor de morir por alcoholismo no le parece tan terrible como el dolor de vivir sobrio. ¿Por qué alguien permite a sus hijos estar despiertos hasta altas horas de la noche en vez de establecer una hora regular para acostarse? Porque quiere ser aceptado, ser considerado "el bueno". O porque la culpa que sentiría si hiciera cumplir la hora de acostarse le parece más dolorosa que las consecuencias de dejarlos desvelarse. ¿Por qué alguien ventila sus problemas maritales con sus hijos en vez de con su cónyuge o con otros adultos? Porque los niños son vulnerables, necesitan a sus padres, son un público cautivo, y porque hablar con otros adultos resulta más atemorizante que compartir esa información con niños.

La vida no es una prueba sino un experimento; así pues, intenta cosas nuevas

Sobre todas las cosas, recuerda que no hay hijos, familias ni padres perfectos. Nadie va a calificar tus habilidades de padre; nadie está llevando el marcador. No tienes que hacerlo a la perfección; no puedes. Cometerás errores. Algunos resultarán dolorosos por un tiempo, pero el dolor es una parte necesaria de la vida. Nadie puede ser padre sin sentir dolor. Acepta esta verdad y te resultará más fácil ser un buen padre. Es cierto y vale la pena.

Parte II:
Los siete errores

3

Consentir a tu hijo

En *Inteligencia emocional: Por qué es más importante que el cociente intelectual,* Daniel Goleman menciona la investigación de Jerome Kagan acerca de niños cuya timidez se debe a factores congénitos, biológicos. Los niños tímidos cuyas madres los protegían de experiencias perturbadoras eran dominados por el temor en su vida adulta. Los niños cuyas madres exhortaban de manera regular a enfrentar el mundo eran mucho menos temerosos en el futuro. Este resultado se opone a lo que piensan muchos padres actuales, quienes creen que deben proteger a sus hijos de las dificultades de la vida. Por el contrario, incluso los niños temerosos por factores biológicos se desempeñan mejor si sus padres los animan a vencer sus miedos.

"Infantilizar" es un término de la psiquiatría que significa lo que probablemente estás pensando. Una palabra menos técnica es consentir. Con la epidemia actual de fragmentación familiar

31

y desatención por parte de los padres, podrías pensar que esto no constituye un problema. Nada más alejado de la verdad. Por muchas razones: un elevado número de niños estadounidenses apenas pueden escribir una oración completa, ya no digamos un reporte de cinco páginas con gramática y puntuación correctas. Muchos dejan la casa a los veintitantos años sin saber cómo manejar una lavadora, freír un huevo, planchar una camisa o blusa o conciliar una chequera. Y un número alarmante de varones entre 25 y 28 años —las estimaciones llegan hasta el 30 por ciento— viven en la casa paterna, y muchos de ellos no pagan renta ni realizan labores domésticas.

En la década de 1970, cuando supervisábamos alumnos de nivel preescolar, notamos una tendencia alarmante: cuando realizaban una actividad como dibujo o manualidades, algunos niños de tres y cuatro años trabajaban unos momentos y se detenían, aparentemente en espera de un halago por cada línea que trazaban. Conforme avanzó el curso, nos dimos cuenta de que los padres de estos niños habían tomado demasiado a pecho las sugerencias del movimiento de la autoestima. Queriendo evitar que la autoestima de sus hijos fuera vulnerada, inconscientemente decidieron que lo mejor era premiar cada pequeño logro de sus niños. Por supuesto, este uso indiscriminado de la recompensa tiene el efecto contrario: los niños se vuelven tan dependientes del reconocimiento externo que se sienten desamparados sin él, lo que baja su autoestima a niveles peligrosos. En su libro *Smart Parenting: How to Parent so Children Will Learn,* la doctora Sylvia Rimm, reconocida experta en paternidad, escribió sobre el poder que ejercen los niños dependientes como resultado de la sobreprotección: "Debido a que son bondadosos y considerados, y debido a que las herramientas de poder de los niños (lágrimas y peticiones de perdón) son muy persuasivas, los padres y maestros siguen protegiéndolos, quitándoles sin darse cuenta la oportunidad de enfrentar los retos".

Pero la intención de los padres es buena, ¿o no? Por supuesto que sí. Los padres tienen un trabajo muy duro sin mucha educación formal para enfrentarlo. Pero pese a las buenas intenciones, recompensar a los niños por cada simple acto que realizan simplemente no ayuda. Los paraliza, robándoles las satisfacciones del esfuerzo y el logro. En la década de 1960 Walter Mischel, psicólogo de Stanford, realizó una investigación de avanzada sobre el aplazamiento de la gratificación en los niños. Descubrió que niños de cuatro años que tomaban unos malvaviscos tan pronto se los ofrecían resultaban muy diferentes en el futuro a quienes esperaban unos minutos para obtener más malvaviscos. Durante la adolescencia, quienes eran capaces de aplazar la gratificación seguían siendo más capaces de esperar, pero también obtenían mayores logros, se adaptaban mejor social y emocionalmente, se metían en menos problemas, eran más apreciados, y eran más felices que los adolescentes que preferían no esperar cuando les ofrecían más malvaviscos. Los hallazgos de Mischel son extraordinarios.

Dosis óptimas de lucha

Las secciones especiales de los noticieros y los libros de superación personal como los de la serie *Caldo de pollo para el alma* presentan innumerables historias de valor, perseverancia, fe y esperanza extraordinarios. A veces escuchamos estas historias y simplemente sacudimos la cabeza, diciéndonos que seríamos incapaces de mostrar tal valor o persistencia. O desearíamos hacerlo pero no sabemos cómo. Una de las razones por las que estas historias nos parecen llenas de misterio es que el espíritu humano es insondable. Pero a veces estas historias nos parecen inconcebibles porque no recibimos las *dosis óptimas de lucha* durante nuestro crecimiento.

Esta idea no es nueva. Tiene al menos unos miles de años. Erik Erikson, uno de los padres de la teoría moderna de la personalidad y uno de los psicólogos más respetados del siglo xx, planteó esta pregunta hace al menos 50 años. Erikson acuñó el término "crisis de identidad", y en sus meditaciones neo-freudianas concibió las ocho etapas del desarrollo, que comienzan en la infancia con la crisis de confianza versus desconfianza. Si lees sus obras, notarás que la solución de cada estado de crisis requiere un equilibrio entre los impulsos del niño y la estructura ofrecida por sus padres. Este equilibrio dinámico da origen a un conflicto saludable, y mediante este conflicto las personas maduran sanamente. Aproximadamente desde el nacimiento y hasta los dieciocho meses de edad las necesidades de los niños deben satisfacerse de manera regular, para que se den cuenta de que obtendrán lo que requieren y de que pueden confiar en su entorno. Sin embargo, en los últimos meses de esta etapa, digamos de los doce a los dieciocho meses, es importante también que algunas de estas necesidades no sean satisfechas de inmediato. Cuando los bebés deben esperar un poco, aprenden dos aspectos muy importantes de la vida:

1. Son seres separados de quienes los están criando.
2. No siempre pueden obtener lo que desean.

Este último puede sonar familiar porque representa el inicio del aprendizaje del aplazamiento de la gratificación. Si es tan simple, ¿por qué tantos de nosotros tenemos problemas para educar a nuestros hijos? En primer lugar, los padres tendemos a:

1. Hacer lo que hicieron con nosotros.
2. Hacer lo opuesto a lo que hicieron con nosotros.

Si lo que hicieron con nosotros no fue bueno, como educarnos con una estructura rígida y demasiadas reglas y normas, repetiremos esa pauta o haremos lo opuesto —ofrecer muy poca estructura para nuestros hijos— lo que es igualmente malo.

En segundo lugar, muchos nos sentimos tan culpables por lo que hacemos como padres que intentamos compensar nuestros errores en un área siendo demasiado permisivos en otra. ¿Has estado peleando con tu cónyuge? ¿Están divorciados? ¿Pasan todo su tiempo en el trabajo? Bueno, al menos puedes dejar a tus hijos comer alimentos chatarra y ver la televisión todo el tiempo que quieran. Eso debe compensar algo del dolor que han experimentado, ¿cierto? Falso. Simplemente acumulan dolor sobre dolor, agravando los problemas como si se tratara de intereses en una cuenta de ahorros.

Lo creas o no, solucionar el problema es más fácil de lo que piensas. ¿Te agradan esos adultos quejumbrosos, impacientes, groseros y exigentes? ¿Cómo crees que llegaron a ser así? La investigación de Erikson sugiere que sus padres los controlaban o los mimaban en exceso. Ahora mira a tu hijo de cuatro años. ¿Lloriquea a menudo? ¿Se rehúsa a ir a la cama a su hora acostumbrada? ¿Arroja comida, no quiere comer y llora a la menor provocación? ¿Piensas, con gran sentimiento de culpa, que has creado a un monstruo? Bien. Tienes un problema. ¿Es insuperable? Ningún problema lo es, mucho menos a los cuatro años. No obstante, si esperas a que tu hijo tenga 24 probablemente hayas creado un problema de largo plazo. Y probablemente tengas a un adulto viviendo contigo cuando se suponía que ibas a disfrutar del nido vacío.

Luchar es bueno

En nuestro libro anterior, *The Soul of Adulthood*, dedicamos un capítulo entero a una verdad psicológica fundamental: la adversidad es buena. Después dedicamos otro capítulo completo a otra verdad: la lucha es buena. Sería sencillo escribir un libro entero dedicado a la idea de que la lucha y la adversidad son buenas. Si nuestros hijos no tienen necesidad de luchar, no maduran. Debido a que la vida ofrece una buena cantidad de adversidad, la vida parecerá cruel y deprimente para quienes carezcan de la capacidad de luchar y de experimentar la alegría y la satisfacción que ésta conlleva. Esto es una desgracia, pues a quienes han aprendido a luchar la vida les parece desafiante y emocionante.

Cómo evitarlo

Identifica el problema

Empieza con valor, dignidad, determinación y un espíritu resuelto. ¿Tus hijos te están controlando? ¿Has creado sin proponértelo personitas que se sienten muy mal por dentro pero tan embriagadas de poder que no pueden renunciar a él? Ellos no hicieron nada malo. No es su culpa. No vinieron a la Tierra para educarte. No hicieron las reglas de la familia. ¡Tú las hiciste! Los niños son más felices y saludables cuando tienen límites y estructura. Hemos llevado al hombre a la Luna y cámaras errantes a Marte, así que podemos solucionar este problema. Y podemos hacerlo sin ser agresivos.

Niños infantilizados

¿Haces todo por tu hijo? ¿Corres inclinado tras él, fastidiándote los músculos de la espalda, para atraparlo si cae mientras aprende a caminar? Harás exactamente lo mismo cuando tenga 21 años de edad y pagues el saldo de su tarjeta de crédito, o llames a tu amigo abogado para que lo eximan de un cargo por conducir en estado de ebriedad, cuando sabes muy bien que había bebido. Todos tenemos buenas intenciones, pero amarrarle las agujetas porque crees que hacerlo sería demasiado para ellos es establecer un precedente peligroso. Y una vez establecido, es difícil cambiarlo. Anuda sus zapatos hoy. Hazle la tarea cuando tenga nueve años. Llega en su auxilio, arma un escándalo y sálvalo cada vez que tenga un altercado con un compañero. Cuando tenga 24 años y tenga problemas para hacer amistades porque siempre ha sido retraído, conviértete en su mejor amigo para que no tenga que luchar, y nunca madurará.

No infantilizar a los niños resulta una lucha especialmente dolorosa para padres que crecieron en medio de circunstancias adversas, como la pobreza o el alcoholismo, por obvias razones. Si hemos vivido tiempos difíciles, queremos asegurarnos de que nuestros hijos no sufran lo mismo. Esto nos ciega ante ciertos aspectos de la vida y es de esta ceguera de la que debemos deshacernos para ser unos padres competentes y encontrar el equilibrio en nuestras vidas. Así pues, siéntate a solas en un lugar tranquilo y sin distracciones, y escucha lo que te dicen tus sentidos y tu corazón. Los padres que trabajan con diligencia en esto tarde o temprano nos dicen que una vocecita en su interior les decía que estaban infantilizando a sus hijos, pero que el terrible ruido de sus dolorosas infancias había ahogado esa voz.

Hace falta un valor extraordinario, una dignidad inimaginable y una determinación increíble para escuchar esa vocecita sobre el estruendo de las viejas heridas. Y en todos los casos, cuando las personas la escuchan, la recompensa supera sus expectativas más descabelladas.

Niños controladores

¿De qué estar al pendiente? Ésta es la pregunta. Durante la infancia, observa si un bebé de dieciséis meses es capaz de esperar unos cuantos minutos sin hacer un gran berrinche, antes de que lo levantes. ¿Qué me dices de la hora de acostarse? Si educas a tu hijo con unas cuantas reglas aplicadas de manera consistente, esto difícilmente será un problema. Los niños se sienten mucho más seguros y son mucho más saludables cuando su vida tiene un ritmo regular.

En general, los niños deben seguir algunas rutinas simples sin queja alguna. Entre ellas están prepararse para dormir, ir a la cama sin salir por algo a cada momento, arreglarse por las mañanas y guardar sus juguetes al final del día. Esto puede parecer intrascendente en un mundo abrumadoramente complejo, pero no lo es. Muchos padres dicen: "No prestamos mucha atención a la hora de dormir ni a las labores domésticas porque preferimos que nuestros hijos estén despiertos hasta tarde aprendiendo a utilizar su computadora. Si no lo hacen, ¡nunca tendrán éxito!" Reconsidera esto. Mientras más complejo se hace el mundo, más importantes se vuelven rutinas como éstas. Las rutinas ayudan a formar una estructura interna y los límites del ego, elementos que distinguen a los adultos competentes de los incompetentes.

Define y mide el problema

Niños infantilizados

Los síntomas más claros de infantilización son, como se describió anteriormente, situaciones como que tu hijo sigue viviendo en la casa paterna a los 26 años, niños de cuatro años que no pueden aplazar la satisfacción, o jóvenes de 20 años que prefieren contarte todo antes que arriesgarse a intimar con amigos fuera de casa. Los niños deben adquirir ciertos hitos en su desarrollo, y hay numerosos libros y teorías que exploran esta idea. Nos gusta la teoría de Erik Erikson porque ofrece un "mapa general" muy claro. Por lo común, un niño de cinco años debe ser capaz de atarse las agujetas, guardar sus juguetes al final del día, esperar unos minutos algo que desea en vez de hacer una rabieta si no se le satisface de inmediato. Un joven de 21 años debe saber conciliar una chequera, pagar cuentas sin cheques rebotados, tener una red de amistades que reemplace en buena medida las funciones de su familia de origen, y ser capaz de mantener un empleo. Mientras más hacemos estas cosas por nuestros hijos durante estas distintas edades, más los infantilizamos. En definitiva, si nos sentimos confundidos y desamparados al contemplar la vida de nuestros hijos, lo más probable es que tengamos problemas en esta área.

Niños controladores

Esto coincide parcialmente con la infantilización. ¿Cómo sabemos si nuestros hijos están controlándonos? Lo sabemos cuando parece que los adultos no llevan la batuta. Cuando hay luchas de poder constantes entre padres e hijos, y entre padre y madre. Cuando los niños "dividen y vencen": "Mamá dijo que no podemos salir hasta que hayamos terminado la tarea de matemáticas, pero, ¿podemos salir ahora y hacer la tarea después?" Cuando los niños se han convertido en negociadores consumados, cuando los padres se han convertido en gruñones consumados, y cuando la tensión en la casa es tan fuerte que todos se sienten estresados. Sabemos que nuestros hijos nos controlan cuando en el fondo de nuestro corazón empezamos a sentir resentimiento hacia ellos. Así es como lo sabemos.

En concreto, tu hijo te controla cuando tiene cinco cepillos dentales distintos para escoger porque pensaste que ello terminaría la lucha de poder a la hora de cepillarse y no fue así. Te controla cuando le pides seis veces que saque la basura y acabas por sacarla tú, semana tras semana, en vez de buscar una manera de que cumpla esta sencilla tarea de modo sistemático. Tu hija dice que te odia luego de que le dices que no tienes para comprarle un auto. Como no puedes tolerar su ira, caes en esta manipulación obvia y le compras un auto con todo y seguro, con lo que obtienes más deudas y más noches en vela.

¿Tus hijos tienen un vocabulario espantoso pese a que les pides constantemente evitar "la palabra con f", "la palabra con s", así como todas las obscenidades que conoces y muchas más? Cuando les pides no maldecir, ¿simplemente se ríen por lo bajo y te insultan? ¿Tu corazón se hunde y te llenas de ira cuando esto ocurre? O bien, ¿tus hijos pelean como bárbaros todo el tiempo, destruyendo los pocos momentos de paz que quedan en tu casa, y manteniendo tu presión sanguínea alta pese al nuevo medicamento que te recetó el doctor? Si estas cosas son parte de tu vida hogareña, tienes un problema.

Arregla el problema

Muchos de ustedes ya saben cómo. En algunas familias la dificultad no es saber cómo solucionar un problema sino reconocer que no hacerlo provocará más dolor y sufrimiento en el largo plazo. No hay como el momento presente para ayudar a los niños a madurar. Recuerda que un cambio implementado de manera consistente puede modificar un sistema entero. Y no intentes cambiar todo a la vez.

Niños infantilizados

Adelante encontrarás una lista de sugerencias; recuerda: la vida no es una prueba, es un experimento; ser imperfecto no te hace acreedor a castigos en el juego de la vida. Arriésgate y prueba estos consejos. Probablemente te sorprendan los resultados.

1. ¡Deja que se ate las agujetas! Enseña a tu hijo de cinco años a anudarse los zapatos. Agrega cinco o diez minutos a su rutina matutina para que tenga tiempo de hacerlo. Las primeras veces que lo haga bien, señala y confirma su logro. La increíble alegría que produce el logro de esta tarea mantendrá la conducta una vez que la haya aprendido.

2. No les ocurrirá nada si esperan unos minutos. Si tu niño de dieciocho meses despierta cuando estás a punto de voltear los bisteces o sacar el *soufflé* del horno, grítale con voz alegre que en un minuto estarás con él. Aunque él haga un berrinche, incluso uno muy grande, continúa con lo que estés haciendo (a menos que requiera más de cinco o diez minutos). Cuando hayas terminado, entra en su cuarto con actitud segura y alegre, agradécele por esperarte y atiéndelo. No concedas demasiada importancia al hecho. Actúa con la mayor tranquilidad posible.

Exponer a tus niños a pequeñas dosis de frustración como ésta les enseñará que esperar no es el fin del mundo, y que son seres independientes. Si te sientes demasiado culpable recuerda que ayudar a tu niño a aprender las lecciones de la vida es un acto de amor.

3. Deja que sus lágrimas calmen su dolor. Cuando tu hija de catorce años vuelva de la escuela llorando porque su primer novio aparentemente rompió con ella (situación, por cierto, que podría invertirse mañana y repetirse pasado mañana, considerando sus edades), simplemente escucha. Di cosas como: "Veo que está siendo muy doloroso para ti. Lamento que estés sufriendo tanto en este momento". Abstente de darle consejos. Sólo escucha, escucha, y escucha un poco más.

La tristeza nos ayuda a sanar. Las lágrimas vienen con la tristeza. El simple hecho de estar con ella transmite un mensaje inconsciente muy poderoso: sabes que ella puede hacer frente al dolor de la vida. Escuchar y validar es todo lo que hace falta para que sepa que te preocupas por ella.

4. ¡No lo saques de apuros! Tu hijo de veintiún años, quien está a punto de terminar la universidad, llega a casa luego de trabajar en su lucrativo empleo de verano y anuncia que de algún modo acumuló una deuda de 750 dólares en tarjetas de crédito, la cual es incapaz de pagar. Tú di: "Cielos, eso es mucho dinero". Dilo de manera neutral y reverente. No sonrías burlonamente, no aparentes estar horrorizado, no te retuerzas las manos, no cambies de inmediato a tu modalidad "yo lo arreglo". Espera unos instantes. La elocuente pausa será incómoda para los dos, pero cuando él se dé cuenta de que no vas a sacarlo de apuros, su mente empezará a pensar en lo que debe hacerse. Si te pide que pagues, di con toda calma que te encantaría hacerlo pero que temes más a las consecuencias de que pagues la deuda que a las de que no lo hagas. Entonces pregunta inmediatamente: "¿Quieres ayuda para ordenar tus finanzas y diseñar un plan de pago para cancelar esta deuda en un par de veranos?"

Todos los padres queremos solucionar a nuestros hijos todos sus problemas; es natural. No obstante, los padres competentes resisten este impulso porque saben que, con el tiempo, hacerlo paralizará a sus hijos y les impedirá madurar. A esto se reduce la elección.

Niños controladores

Si en verdad quieres hacer algo a propósito de este tema y deseas un incentivo bastante dramático, llama al número gratuito y ordena esa cápsula de *20/20* sobre niños que controlan tiránicamente a su familia (véanse las referencias al final del libro). Dudamos que alguien que vea ese programa no se sienta motivado a actuar.

4

Dejar tu matrimonio en último lugar

Cuando una pareja viene por primera vez a una terapia sobre su relación, una pregunta que hacemos es: "¿Cuánto tiempo hace que no salen fuera los dos, sin hijos, durante toda una noche?" Descubrimos que ésta puede ser una pregunta provechosa. Es bueno para la pareja y los niños experimentar este equilibrio en una familia, con tranquilidad y seguridad. En este país parece muy común que los padres pasen un año, dos, tres, cinco, a veces aun más años, sin salir una noche sin sus hijos. Por supuesto los nuevos padres pueden experimentar cierto conflicto o culpa, pero si sus niños están bien cuidados promovemos esta experiencia en beneficio de los padres y los niños. Cuando los niños ven una relación marital fuerte tienen un desarrollo sano.

¿Eres un PCU?

Los estadounidenses nos enorgullecemos de cuán extrovertidos y morales somos, así como por nuestro interés en la familia. Después de Irlanda, de la que hemos heredado muchas de nuestras prácticas y actitudes para el cuidado del niño, somos quizá una de las naciones industrializadas occidentales más centradas en los niños. Créelo o no, pero esto puede ser un problema porque el matrimonio u otra relación de largo plazo es un organismo vivo, que respira y que se está renovando continuamente, reparando sus heridas, creciendo y cambiando. Como tal, necesita nutrirse y cuidarse o se marchitará y morirá. Necesita ser regado. Necesita ser escardado y podado. Necesita luz del sol. Necesita tiempo de descansar y recuperarse. Una relación que se enfoca externamente a la exclusión de sí misma se marchitará seguramente.

Recuerda que lo contrario de la disfunción es la disfunción. Es igualmente malsano para los padres descuidar a sus niños que dejarlos con una niñera, de noche, *todo el tiempo*. Obviamente, los padres perturbados, como esos de los que leemos de vez en cuando en el periódico, que dejan a sus pequeños en casa solos mientras toman unas vacaciones de varios días, son culpables de negligencia y de abandono infantil. Sin embargo, este capítulo se dirige directamente a esos padres que están atados en exceso a sus hijos, o que todavía están sufriendo por muchos fantasmas de su pasado y no pueden separarse de sus niños bastante tiempo para ocuparse de sus matrimonios de vez en cuando. Si no sabes quién eres, puedes descubrirlo al ver si tu matrimonio se está marchitando.

Por más de un decenio hemos guardado un recorte de una columna de Ana Landers que informó sobre una fabulosa investigación efectuada por el Instituto Nacional de Salud Mental. En este estudio, los investigadores localizaron a cincuenta padres que habían criado con éxito a sus niños hasta una edad adulta sana y les pidieron sugerencias sobre cómo criar niños sanos. Como era natural, estos padres competentes mencionaron cosas como "escuchar a tu hijo", decir "por favor" y "gracias", y "no esperar ser padres perfectos". Y como habrás adivinado, después de mencionar "la importancia de amar a tu niño y de hacerlo sentir que pertenece" destacaron "hacer de las necesidades de la pareja una prioridad: las familias centradas en los niños no hacen ni padres sanos ni niños sanos".

¿Te has preguntado porqué ocurren tantos divorcios cuando los hijos dejan el hogar, el nido vacío? A menudo, en la superficie por lo menos, vemos parejas perfectas con niños perfectos que viven en una familia perfecta. Pueden hacer juntos muchas cosas de familia, y pueden parecer cálidos, cariñosos, cooperativos y exitosos, luego sus hijos crecen. Entonces, ¿por qué ahora un divorcio? Vuelve atrás una o dos páginas y lo sabrás. En muchos de los divorcios de nido vacío que hemos atestiguado la verdad es que la pareja realmente no ha estado conectada como tal por decenios. Ha funcionado simplemente como lo que hemos denominado una *unidad paternal de cuidado de niños* o PCU (por sus siglas en inglés). Una PCU es un tipo de relación en la cual, por numerosas razones, los cónyuges han hecho un pacto implícito, inconsciente, para sobreconcentrarse en sus niños y subatender su matrimonio. Se hace a veces porque así es como criaron a cada uno de los cónyuges, y otras con la esperanza de que si se esfuerzan realmente con sus propios hijos podrán compensar en algo la carencia o el dolor que resintieron en sus propias infancias.

¿Qué pasa cuando los hijos son realmente pequeños? ¿No requieren más que el matrimonio en muchos casos? Por supuesto. Esto es un proceso gradual. Pero los niños no son pequeños por siempre. E incluso los padres de infantes excesivamente activos encuentran maneras de dedicar tiempo para consolidar sus matrimonios. Hay muchas maneras de cuidar tu jardín marital.

Por ejemplo, creemos que tiene sentido para los niños que duerman en sus propias camas. ¿Cómo puede una pareja, llevada a los límites por los hijos, la televisión, el tráfico, dos empleos, la contaminación, el ruido y las computadoras, esperar encontrar un momento para cultivar su matrimonio? ¿Qué te parece esos pocos minutos cada noche en que con cansancio pero con calidez se susurran uno al otro en la intimidad de su propia cama mientras se preparan para dormir, preparándose para enfrentar otro día agitado? Es imposible hacerlo si tienes un niño en tu cama todo el tiempo.

Incluso si eres padre de niños muy pequeños, puedes dedicar tiempo para cuidar de tu matrimonio. En serio. Tú puedes. La gente que está muy emocionada con la perspectiva de su nido vacío (una vez que ha llorado la partida del último hijo) se las ha arreglado para hacerlo. La gente en ese estudio del Instituto Nacional de Salud Mental lo hizo. Tú también puedes.

¿Dónde está la pasión?

Ah, la pasión. Y la química. Y la magia. Se supone que abandonan el matrimonio después de algunos años, para ser sustituidos por esas antiguas tradiciones: compañerismo, comodidad y amistad. El compañerismo, la comodidad y la amistad son elementos esenciales en un matrimonio maravilloso. Pero también lo son la pasión, la química, la magia y la sexualidad. En su maravilloso libro basado en una investigación sobre matrimonios sanos, la psicóloga Catherine Johnson escribió que la mayoría de los matrimonios felices están unidos por un lazo sexual "poderoso y duradero", incluso cuando los cónyuges no están completamente conscientes de él. ¿Qué sacas en conclusión?

La mayor parte de lo que aprendemos al crecer está debajo del nivel consciente. Lo tomamos con sólo estar inmersos en la familia. Esto significa que todos aprendemos lecciones de nuestras propias familias. Quizá tu mamá siempre preparó tu refrigerio para la escuela, y tu papá siempre te dio dinero adicional para gastar. Si es así, estas cosas se hacen normales para nosotros. Así es como aprendemos nuestras lecciones. A veces necesitamos lecciones adicionales. Por ejemplo, algunas personas necesitarán aprender cómo consolidar sus matrimonios, mientras que otras habrán aprendido todo esto durante la niñez simplemente estando en la familia, alrededor del matrimonio de mamá y papá.

La mayoría de los terapeutas de los sistemas de familia saben que la sexualidad y la pasión están entretejidas en la tela de la familia. Los psicólogos James Maddock y Noel Larson de St. Paul escribieron que la "sexualidad es un aspecto fundamental de la existencia humana. Es una de [las] dimensiones básicas de la experiencia humana, y por tanto de la vida en familia" (así parece remitir a la p. 51 del libro que tenemos en nuestras manos). La sexualidad no se refiere sólo a la reproducción. La pasión no es sólo la cópula. Ambas se relacionan con una energía subyacente que impregna la familia, o bien con una carencia de esa energía subyacente. Esto no significa que la gente ruidosa, bulliciosa, está llena de pasión sana, o que la gente reservada no lo está. No tiene nada que ver con la introversión o la extraversión o con la locuacidad o la tranquilidad. Tiene que ver con la energía. Así como hay tanta gente tranquila, reflexiva que se llena de pasión y de lujuria por la vida, hay gente bulliciosa que no lo hace, y viceversa. Tiene que ver con la energía, la pasión, la atención, la expansión, la determinación, fuerza para vivir y un deseo de vivir la vida con plenitud. La pasión por la vida está entretejida en el substrato de familias sanas, y falta o es deficiente en familias atribuladas.Esta pasión puede manifestarse como el deseo de expresarnos con el arte, mediante el cuidado de nuestros hijos, o con nuestras exploraciones científicas. Es la confianza en nosotros mismos, y nuestra pasión por la vida, la base y el combustible de nuestra sexualidad. Cuando la gente está deprimida, exhausta, cansada por el trabajo, asustada por los demás o por sus propios sentimientos, le es difícil experimentar una sexualidad sana, equilibrada y abierta. Cuando nos sentimos competentes, relajados y abiertos a los misterios de la vida, nuestra sexualidad es cómoda, apasionada y equilibrada.

Tal vez te preguntes: "Pero, ¿qué sucede con una pareja si los hijos no desean irse a la cama a una hora regular?" Si estás consolidando tu matrimonio y también estás proporcionando estructura a tus hijos, éstos tendrán una hora de dormir regular porque sabes lo que es bueno para ellos y para ti. No se quejarán, no gritarán y no pondrán mala cara. Simplemente irán a la cama. Si no, cierra con llave la puerta de tu dormitorio. Comprenderán que papá y mamá tienen su propia vida además de su vida con sus niños. ¿Hay excepciones, por ejemplo cuando un niño pequeño está enfermo? Por supuesto.

Padres: los ejecutivos del sistema

Todas las reglas inconscientes para vivir e interactuar en el flujo familiar proceden de los ejecutivos del sistema: los padres. Si solamente hay un padre en la familia, por muerte o abandono total, todas las reglas fluyen de ese padre y de cualquier otro adulto que esté regularmente en su vida. Si creciste avergonzado de tus lágrimas, aprendiste eso en alguna parte. Si creciste a la defensiva, enojado y beligerante, lo aprendiste en alguna parte. Si creciste viendo que los niños están siempre primero, necesitarás permanecer atento para evitar que tu matrimonio se convierta en una unidad paternal de cuidado de hijos. Debido a que los padres están siempre proveyendo a los niños de reglas sobre cómo vivir e interactuar con otros, con la familia y con el mundo exterior, exhortamos a nuestros clientes a que exploren y se familiaricen con todas las reglas que han aprendido. Los exhortamos especialmente a que conserven por lo menos una parte pequeña de sus vidas para sí mismos.

Señales de que no tienes una vida marital

Si has caído en esta trampa, hay algunos aspectos que debes cuidar. Cuando estés menos preparado, detente en mitad de un día atareado y tómate cinco minutos para reflexionar tranquila y silenciosamente acerca del estado de tu vida interior y de tu matrimonio/unión. ¿Te sientes satisfecho? ¿Completo? ¿Competente? ¿Presente emocionalmente a cada momento? Cuando piensas en tu relación, ¿qué oyes de las profundidades de tu inconsciente? ¿Esa voz dice: "Es hora de que tú y ella planeen otras minivacaciones, antes de que su relación comience a marchitarse"? ¿O dice: "Pienso que necesitamos ir a ver una película nosotros solos esta noche"? Dice quizá: "Apaguemos la televisión esta noche y sólo charlemos sobre nuestro día". Recuerda, también, que uno de los mejores barómetros generales sobre la salud de una relación es la calidad de tu vida sexual.

Sabes que estás en problemas cuando no hay lugar adonde los dos puedan ir sin que esté presente un niño. Hay niños en su cama, en su cuarto de baño, en su estudio u oficina, en su coche. Hay siempre niños en sus vacaciones. Están siempre con ustedes cuando salen a cenar. Están siempre allí. La palabra clave aquí es "siempre". Una frase más sana pudo ser: "muchas veces o la mayoría del tiempo". Los buenos padres pasan mucho tiempo con sus hijos. También pasan bastante tiempo solos, con su pareja, sin niños a la vista, para mantener su unión en marcha.

Señales en tus niños de que no tienes vida marital

Los niños que han sido criados por PCU tienen ciertas características comunes que son a menudo evidentes. Son a veces, pero no siempre, muy dependientes de ti. No es la dependencia quejumbrosa, desvalida, sufrida. Más bien es la clase de niño que tiene dificultades para salir a la universidad, o al mundo, o que elige permanecer en casa o demasiado cerca del hogar cuando hay otras opciones. Puede ser que diga que se queda cerca del hogar "porque realmente amo a mi familia y deseo estar cerca de ella". Es la chica que te llama su mejor amiga y que pasa una cantidad excesiva de tiempo contigo cuando debería estar fuera en el mundo haciendo amigos y encontrando a un compañero para ella.

A veces esta situación se pone de manifiesto con límites confusos: si estás allí, ellos están allí. Tus asuntos son sus asuntos. Cuando son poco más grandes, están enterados de detalles de tu vida que deberían estar reservados para ti. Saben sobre tus finanzas. Saben sobre tus esperanzas, sueños, miedos y pesares (que en parte está bien). ¡Incluso pueden llegar a saber (como sucede en algunas familias) sobre tu vida sexual! Parecen ser expertos en el funcionamiento interno de tu matrimonio.

Cuando los hijos criados por padres PCU entran en la edad adulta, lo hacen sin entusiasmo. Cuando establecen un compromiso de largo plazo, lo hacen sin entusiasmo. A veces su familia de origen sigue siendo más importante que su pareja, lo que, por supuesto, causa problemas. Y si la unión de sus padres se tambalea, muchos de estos niños adultos pueden estar destrozados o en medio del problema de sus padres, o ambos.

Cómo solucionarlo

¿Qué haces si sospechas que puedes tener un problema en esta área de tu vida? Si lo has identificando como problema, has comenzado ya. Luego analiza cuidadosamente tu relación: sus virtudes y defectos, miedos, esperanzas y sueños. Hablen uno con otro de corazón. Olvídense de las reglas invisibles que dicen: "No eres buena persona si compartes tus sentimientos verdaderos con tu esposo", o "Si hablas de estas cosas difíciles, estropearás tu matrimonio". Deja que las lágrimas de alivio fluyan junto con el dolor, la ira, la soledad, el miedo y la alegría. El renombrado terapeuta y psicólogo sexual David Schnarch escribió que la intimidad "implica el conocimiento inherente de que estás aparte de tu pareja, con piezas todavía por compartirse" (véase p. 102). Es decir, compartir el meollo de los asuntos, incluso si es incómodo, puede profundizar su intimidad inmensamente.

Pregúntate cuándo salieron por última vez sin sus hijos. Di cuánto resientes que tus hijos estén en tu dormitorio a toda hora, y cómo has estado obsesionado durante años por decírselo a tu pareja pero estabas temeroso de la reacción. Discute cualquier culpabilidad intensa que ambos sienten al pensar en disminuir sólo un poco la forma en que están implicados tus hijos en sus vidas, o de cualquier sospecha que abrigas acerca de que has estado dañando a tus hijos. Habla al respecto. Acepta la remota posibilidad de que lo que estás leyendo ahora pueda ser cierto, y que la manera en que lo has estado haciendo todos estos años ha sido un hábito inconsciente. Vale la pena cambiar, por todos.

Después, siéntate y cavila sobre cómo y cuándo darás tiempo a tu matrimonio. Algunas de nuestras sugerencias son:

1. Dedicar un corto tiempo cada día, sólo algunos minutos, para hablar.

2. Apartar por lo menos una tarde a la semana para una cita.

3. Como mínimo, tomar unas vacaciones cada año que no incluyan a los hijos.

4. Encontrar niñeras competentes y de calidad para niños de varias edades.

Si el dinero es un problema, recuerda que no tienes que volar en primera clase a Hawai y hospedarte en un cuarto con vista al mar en el hotel de playa de Mauna Kea. Pasar una noche en el campamento más cercano cuenta tanto como eso. Si tus hijos son bebés o niños, pregúntate por qué no han recurrido a una niñera todavía. Si se supone que la niñera proporciona cuidado de calidad, y que es buena y no abusiva —lo cual es muy posible encontrar—, comprende que es una experiencia importante y sana de separación que tus hijos los vean irse, lloren mientras se alejan, pasen un buen rato con la niñera y después despierten la mañana siguiente para descubrir que los dos están felizmente en casa. Cuando los niños son privados de experiencias sanas de separación, tienen a menudo ansiedad por la separación y carecen de la capacidad para formar relaciones fiables como adultos.

Por supuesto, debes cerciorarte de que los hijos tengan una hora regular para dormir. Si los hijos son más grandes, deben quedarse tranquilos después de cierto tiempo: sin el rezumbar de la televisión en la sala a todas horas de la noche, sin repiques del teléfono o amigos yendo y viniendo después de que te fuiste a la cama. Invierte en una cerradura para la puerta de tu dormitorio. Instala la cerradura en la puerta de tu dormitorio. Utiliza la cerradura en la puerta de tu dormitorio. ¿Cuándo fue la última vez que sentiste ganas de hacer el amor y un niño irrumpió por la puerta para preguntarte donde está su ropa interior, o adónde dejó su alhajero o si le puedes traer un vaso de agua, o simplemente para ver qué hacían? Si es bastante difícil mantener el romance cuando nuestros hijos son chicos, es casi imposible hacerlo sin cerraduras en las puertas. Una vez más hay excepciones, como cuando tu hijo está muy enfermo.

¿Y luego?

Recuerda que la meta no es ir al otro extremo. No disculpamos la negligencia y el abandono de niños, sin importar la justificación. Nuestros niños nos necesitan para presentarse en los conciertos de su grupo, juegos de *hockey*, obras escolares y conciertos del coro de la iglesia. Nos necesitan para llevarlos al doctor y al dentista. Nos necesitan para crear un sentido de familia y de pertenencia, de unión, de unidad. Necesitan ver un matrimonio sano, cómo funciona, cómo enfrenta los problemas y cómo se negocian los conflictos.

Los niños también necesitan ver que papá y mamá tienen magia y química entre ellos. No, no necesitan ver a papá y mamá en escarceos sexuales en la cocina cuando mamá regresa a casa del trabajo. Ésta sería una forma de abuso sexual. Pero ver un indicio de lo que hay ahí: una chispa en el ojo de la mamá, un centelleo en el de papá, una palmadita en el trasero, una mirada, un vistazo, un beso que es justo un poco más largo de los que por lo general se dan los parientes, y esas citas de noche cuando papá y mamá se engalanan y salen fuera sin los niños: éstas son la base de las imágenes encantadoras, inconscientes, románticas grabadas en el cerebro de un niño que permiten que el adulto futuro valore la magia y la química. Necesitan ver exclusividad en el matrimonio de sus padres, más allá de la cual no pueden traspasar los niños. Necesitan ver que papá y mamá tienen una vida.

5

Inducir a tu hijo a demasiadas actividades

¡Más! ¡Más! ¡Más!

En algún momento rumbo al siglo XXI parece que la mayoría de los padres de la clase media decidieron que sería bueno trabajar hasta morir; y sólo para ser justos decidieron también poner a trabajar a sus niños hasta la muerte. Por muchos años, la disfunción sexual más común entre estadounidenses no ha sido la impotencia ni la anorgasmia: es la falta de deseo. Tal vez te preguntes: "¿Qué tiene que ver eso con la crianza de los hijos?" Se relaciona indirectamente. La carencia del deseo tiene dos orígenes: uno es el triste hecho de que muchos adultos están sobreestimulados y agotados por el trabajo. El otro es que el deseo sexual y la intimidad sexual ocurren típicamente en el marco de la intimidad emocional. Pero es difícil tener intimidad emocional cuando tu vida está girando fuera de control.

En un artículo de diciembre de 1997 en el *Star Tribune* de Minneapolis, Steve Berg escribió que el nuevo *"movimiento en favor de la simplicidad"* no implica retirarse o volverse mezquino. Más aún, sugiere adoptar un enfoque más equilibrado de la vida y tomar conciencia de que los estadounidenses son tanto beneficiarios como víctimas de una economía impulsada por la incontenible propensión a consumir: un padecimiento que los simplificadores a veces llaman "affluenza". *Tanto beneficiario como víctima*. Ahí está el meollo. No todo es malo, pero seguramente no todo es bueno. Como psicólogos practicantes, estamos muy conscientes del efecto negativo de la *affluenza* en nuestros clientes. Las familias se concentran tanto en lo exterior, en la producción, el ingreso, el gasto, y después en un mayor ingreso para continuar con la siguiente ronda de gasto, que apenas dejan tiempo para cualquier otra cosa. "Cualquier cosa" significa: familia, alegría, risa, sentimientos, sexo, juego, sueño y aflicción, entre otras.

Como ejemplo alarmante de lo que decimos aquí, veamos el principio de cada una de nuestras sesiones de terapia con los pacientes. En nuestros consultorios de terapia, a la vista de los clientes, tenemos una lista de emociones básicas que experimentan los seres humanos. Son todas emociones buenas, sanas: ira, tristeza, alegría, dolor, vergüenza, miedo, culpabilidad y soledad. Al principio de cada sesión hacemos lo que se llama una "verificación de sentimientos", que simplemente es una ocasión para que cada cliente reflexione y se dé cuenta de lo que está sintiendo. Esto le ayuda a ubicarse en el momento y prestar atención a sus tejemanejes internos. Parece bastante fácil, pero es uno de los ejercicios más difíciles que pedimos a nuestros clientes, y durante el último decenio lo es cada vez más. Las personas están tan centradas en plazos, metas, horarios, reuniones, teléfonos, faxes y la producción, que muchos quedan atorados en un estado casi permanente de disociación de sus sentimientos. La "disociación" es sólo otra manera de decir desconexión, separación o inconsciencia. Ha llegado a ser tan grave en algunos casos que las únicas respuestas que un cliente puede expresar son "confundido", "insensible", "nada", "me siento bien", o la extremadamente frecuente "no sé".

Si te parece un ejercicio trivial, pregúntate cómo podrías tener algo más que una relación emocional muy superficial con alguien si no tienes acceso a cada una de las emociones de nuestra lista. Y si puedes convencernos de que es posible, te daremos nuestra casa y ambos automóviles, sin hacer preguntas. Recuerda, sin embargo, que dijimos "relación emocional", como un matrimonio o una relación amorosa de largo plazo, una amistad profunda o una relación de padre-hijo. ¿Ves? Es una oferta capciosa. No puedes tener una relación emocional sin acceso a tus emociones. Sería una imposibilidad metafísica. Pero hay algo más importante: millones de estadounidenses pierden sus días a causa de ese impulso consumista; incluso si aprendieron a expresar emociones cuando niños, no tienen el tiempo o los recursos para hacerlo ahora. La ausencia de emociones significa ausencia de intimidad emocional. La ausencia de tiempo para las emociones significa ausencia de tiempo para la intimidad emocional. ¿No tienes tiempo para la intimidad emocional? Entonces olvídate de tener una familia emocionalmente conectada. Y olvídate *definitivamente* de tener una vida sexual cálida, satisfactoria y maravillosa.

Diplomas excelentes, vida no tanto

¿Qué le ha sucedido a la familia estadounidense en el curso del siglo XXI? ¿Demasiadas cosas demasiado rápido? ¿Excesos? Y no sólo en el aspecto material. Demasiadas actividades. Durante la sección de preguntas y respuestas de un seminario que presentamos, una psicóloga muy brillante levantó su mano y dijo: "Pero, ¿qué hay sobre todas esas recomendaciones que recibimos en las secundarias y las preparatorias: que nuestros hijos no ingresarán en las mejores universidades a menos que hayan cursado una miríada de actividades extracurriculares?" Buena pregunta. La respuesta tiene dos partes. Un estudiante avanzado de la Universidad de Duke nos dijo que "las universidades están buscando profundidad. Dos actividades extracurriculares hechas con profundidad lograrán tanto o más que un millón de actividades dispersas realizadas obviamente para engordar una solicitud". Duke está clasificada actualmente como una de las tres principales universidades en Estados Unidos, según el U.S. News and World Report.

En segundo lugar, con los años, nuestro registro de casos se ha llenado de jóvenes profesionistas cuyos padres los presionaron ansiosamente para sobresalir durante la preparatoria y la universidad debido al miedo imaginario de que "si mi hijo no tiende a lo mejor y no es el mejor, su vida sea desdichada". Pues bien, son desdichados, pero no por no ser los mejores, sino por querer ser los mejores excluyendo lo más importante en la vida. En *Inteligencia emocional: Por qué es más importante que el cociente intelectual*, Daniel Goleman escribió sobre algunos estudios notables efectuados en Harvard en los años cuarenta y en las preparatorias de Illinois a principios de los años ochenta.

En el estudio de Harvard se descubrió que los hombres con los títulos más altos eran menos felices, menos adaptados, menos productivos, y tenían sueldos y posiciones menores en la edad mediana que quienes tenían títulos inferiores en la universidad. De 81 estudiantes destacados de la preparatoria de Illinois, solamente una cuarta parte "estaba en el nivel más alto de jóvenes en edad similar de su profesión", y diez años después "muchos tenían un desempeño aun menor". Goleman citó a

Karen Arnold, profesora de educación en la Universidad de Boston: "Saber que una persona es un estudiante destacado es saber solamente que él o ella es excepcionalmente bueno en logros que se miden con diplomas. *No te dice nada sobre cómo reaccionan frente a las vicisitudes de la vida*" (p. 35; las cursivas son nuestras). Ésta es nuestra respuesta a la mujer que quería saber sobre las actividades y la universidad de sus hijos: *usted puede presionar a sus hijos hasta que caigan, y entonces presionarlos todavía más, pero lo único que logrará es producir adultos desgraciados que* pudieran *ser moderadamente exitosos en sus carreras, si son afortunados.*

El niño puede ser padre del hombre, pero los padres determinan cómo se conduce el niño. Los padres ansiosos producen: *1)* niños que buscan llenar el vacío que les dejó estar emocionalmente descuidados, o *2)* niños a quienes no les interesa el éxito porque se sienten muy solos, lastimados y enojados por haber sido descuidados. Recuerda que lo opuesto de enfermizo es enfermizo.

Qué hacer al respecto

1. Pregúntate si tu hijo es una persona equilibrada

Recuerda los extremos. Si eres uno de esos padres que no esperan mucho de sus hijos, esta sección no es para ti. La competencia y, por tanto, una elevada autoestima provienen de la lucha y del esfuerzo, no de los mimos. Pero si tus hijos están en un huracán de actividad desde temprano en la mañana hasta tarde en la noche, usa el siguiente criterio: *si tu hijo puede obtener las mejores calificaciones, hacer tres actividades bien, no se enferma con frecuencia (esto incluye enfermedades emocionales como depresión, adicciones y apego a relaciones destructivas), tiene tiempo para so-*

cializar y para la familia, y está en contacto con sus emociones,
entonces probablemente lo está haciendo bien.

Por otra parte, si tu hijo se enferma a menudo, no tiene vida
social o habilidades sociales, no tiene tiempo para estar con la
familia, o es insensible o desconsiderado, es hora de un cambio.
Quizá unas calificaciones más bajas sean metas realistas. Quizá
una universidad estatal o una escuela vocacional o técnica sea lo
idóneo para él. Para la tranquilidad de tu conciencia, piensa en
alguno de los grandes líderes, hombres de negocios, inventores
exitosos o empresarios que ni siquiera se graduaron de la universidad. Si no recuerdas ninguno, ve a la biblioteca, investiga
en internet o habla con tus vecinos, colegas, amigos en la iglesia,
profesores de tu hijo o *quien sea*. O lee *Inteligencia emocional* de
Goleman. Descubrirás que el éxito, la vida y la felicidad dependen de muchas cosas más aparte de obtener la mejor califica-
ción en la escuela o ir a una universidad de prestigio.

2. Examina tus propios valores

Es gratificante ver a los adultos luchar por lo que es importante para ellos. Como muchos hemos aprendido ya, la vida nos
sigue endilgando la misma lección hasta que la aprendemos, y
entonces pasamos a la siguiente. Si la lección que necesitamos
aprender ahora es cómo aprovechar nuestro tiempo y energía,
entonces la vida nos la pondrá enfrente, repetidamente, hasta que la aprendamos. Muchos estadounidenses están lidiando
con esto ahora. Es por los valores por lo que es importante para
nosotros. Y lo que es importante para nosotros se vuelve muy
claro para nuestros hijos, se lo digamos o no. Lo aprenden al
ver cómo vivimos nuestras vidas.

Necesitamos lograr un equilibrio. Debemos preguntarnos si
es parte de nuestros valores decir: "Eres muy importante para
nosotros. Es sólo que ahora tenemos que producir tanto como

podamos porque deseamos comprar ese bote nuevo para el verano". Esto es lo que Gregory Bateson llamó un callejón sin salida: pobre de ti si lo haces, pobre de ti si no lo haces. Tus hijos no pueden decir: "No queremos un bote; deseamos pasar tiempo contigo", debido a la mirada en tu cara, y debido a lo mucho que has hablado sobre conseguir un nuevo bote. Has hablado tanto de él, de hecho, que tus hijos ni siquiera están enterados de que son las horas extras de trabajo para pagar el bote lo que está ensombreciendo tu relación con ellos. Como tú, tus hijos creen que un bote nuevo les traerá la intimidad que desean. Pero no, por lo menos no si tienes que trabajar hasta el tope para conseguirlo. Así pues, una parte de tu hijo dice: "Odio esta idea del bote", y la otra parte dice: "Este bote salvará a nuestra familia". Es una trampa insidiosa.

Mucha gente ha confundido el amor con trabajar muy duro para conseguir cosas materiales, pensando que éstas son tan esenciales que comienzan a vivir literalmente para ellas. Todo lo que tienes que hacer es preguntarte: "Si alguien intentara identificar mis valores siguiéndome durante una semana típica, ¿qué descubriría?" Hazte esta pregunta, y por tu bien y el de tu familia, permítete oír la respuesta.

3. Primero haz los ajustes en ti

Quizá la lección más evasiva que debemos aprender para ser personas y padres competentes es que la única manera eficaz de cambiar cosas en la vida de cualquier persona es cambiarse a sí mismo. Nadie puede hacer que otro cambie.

Lo que hacemos como padres es importante. Elegimos el camino de la familia. Puedes obligar a tus hijos a ser corteses, exitosos, sinceros o a tomar riesgos calculados, pero si tú no haces estas cosas, nadarás contra una corriente que te sobrepasará. Puedes conducirlos en cierta dirección o convencerlos de que cambien ellos mismos, pero no puedes inducir ningún cambio duradero a menos que tenga sentido para ellos. Lo que tiene sentido para los niños es lo que ellos ven que sucede a su alrededor. Lo que hagas es lo que ellos harán, lo que creas es lo que creerán, lo que valores es lo que valorarán. También puede ser que hagan exactamente lo contrario.

Algunas personas trabajan en exceso debido a la *affluenza*. Si tus posesiones que absorben gran cantidad de recursos te impulsan al trabajo excesivo, una forma de restablecer la intimidad y el equilibrio en tu vida familiar es deshacerte de algunas de ellas. Cuando tú y tu pareja vendan su casa de $300,000 y compren una de $175,000 (por supuesto, los precios de las casas varían de una parte del país a otra) de modo que no tengas que trabajar tan duro, transmitirás uno de los más poderosos mensajes que puedes enviar a tus hijos. ¿Se quejarán y gimotearán y estarán tensos por el cambio? Probablemente. Sin duda pasan por una versión en miniatura de lo que tú experimentas: vergüenza al principio por irse a un lugar más pequeño, preocupación por lo que pensarán los demás, aflicción por la pérdida de algunas de las comodidades que da una casa más costosa. Pero si tú y tu pareja se atienen firmemente a su decisión y la siguen reverentemente mientras la instrumentan, todos estarán bien. De hecho, cada uno se sentirá mejor de que lo que jamás se hubieran imaginado. Y al final habrás efectuado un acto incomparable de valor, compromiso con los valores y persistencia que tus hijos atesorarán por el resto de sus vidas. ¿Qué mayor regalo podría darle un padre a un hijo?

4. Discute con tus hijos la posibilidad de recortar actividades; si eso no funciona, interviene

Esto es bastante directo. Si has realizado cambios valerosos en tu forma de vida durante un tiempo, no te sentirás inconscien-

Inducir a tu hijo a demasiadas actividades

temente hipócrita con tus hijos cuando te sientes con ellos y tengas una plática cara a cara, y con sinceridad les digas que se están extralimitando. Algunas veces los niños y los adolescentes vierten lágrimas de alivio cuando alguien entra y dice: "Deseamos hablar contigo sobre lo mucho que tienes que hacer cada semana. Parece demasiado, y estamos preocupados por ti". Una declaración directa como ésa, con el mensaje inicial de que te importan, derriba las defensas de una persona y arropa su corazón. Quien reciba un mensaje tan poderoso se derretirá.

Quizá te conforte saber que mucha de la gente que tiene problemas serios como alcoholismo o depresión se siente realmente aliviada cuando le preguntamos directamente: "¿Piensas que tienes un problema con la bebida?" o "Tengo la impresión de que has estado luchando con la depresión durante mucho tiempo. ¿Estabas consciente de eso?" Diane Naas, amiga nuestra que trata la dependencia de sustancias en profesionistas, una vez contó la historia de la intervención más rápida que efectuó. Después de varias semanas de preparación con los miembros y los amigos de la familia, durante las cuales ellos ensayaron qué decir, cómo decirlo, dónde sentarse y cómo lograr que el hombre asistiera a la intervención, llegó la hora de la verdad. Cada uno se aposentó en la gran sala de reunión y se alistó. Estaban tan nerviosos que apenas podían respirar. El jefe del hombre, director general de la corporación, lo escoltó a la sala de juntas con el pretexto de que tenían una reunión de emergencia para afrontar una crisis relacionada con el trabajo. El hombre entró en el cuarto, miró los rostros ansiosos, cariñosos, preocupados, asustados y resueltos de los presentes y simplemente dijo: "De acuerdo. Estoy listo. ¿Dónde quieren que vaya al tratamiento?"

Como psicólogos, uno de los aspectos más maravillosos de nuestro trabajo es presenciar esta clase de situaciones. En cierto nivel, la mayoría sabemos lo que es mejor para nosotros aunque no estemos listos para llevarlo a la práctica. Es notable cuántos estamos esperando a que alguien que se preocupa por nosotros lo ponga en palabras: "Veo que te estás lastimando", "Veo que bebes mucho", "Me preocupa lo poco que duermes" o "Deseamos hablar contigo sobre todo lo que tienes que hacer cada semana. Parece demasiado, y nos preocupas". Puedes hablar de estas cosas directamente con quienes amas, y cambiará tu vida y la suya.

5. Sigue adelante, sigue adelante y luego sigue adelante

La diferencia entre quienes tienen éxito y quienes no lo tienen es la capacidad de seguir adelante después de que el resplandor de la novedad se desvanece. Seguir adelante es lo que ocurre después de que se ha dicho todo y antes de que se haya hecho algo. Es la materia verdadera de la vida, la disciplina de poner un pie delante del otro aun cuando preferiríamos parar.

Si las exigencias a tus hijos son excesivas, debes reconocer el problema y enfrentarlo hasta el fin. Primero, apaga la televisión. La televisión impide concluir cualquier cosa. En segundo lugar, pasa cierto tiempo solamente contigo. Si pasas cierto tiempo verdaderamente solo (no con la radio, la televisión, el perro, el periódico o el vecino sobre la cerca) oirás cosas que te ayudarán a perseverar. Tercero, sábete que dolerá, y luego dolerá más, y cuando pienses que el dolor terminará, dolerá aún más. Pero las cosas mejorarán. Día tras día tras día, mejorarán. Y cuando pienses que sería siempre mejor, empeorará. En este punto, tu compromiso con seguir adelante será más importante de lo que nadie podría imaginar.

Y un día mejorará y se quedará así, porque se habrá convertido en un *hábito*. Tú y tus niños ahora tienen vida otra vez. No están enfermos y cansados todo el tiempo. No están ansiosos. Todos se sientan a cenar algunas noches a la semana y conversan afablemente, sabiendo que no tienen que salir corriendo a otra reunión o práctica. Miras alrededor en la pequeña casa que ya casi pagas y das un suspiro de alivio, agradecido de haber escapado de la rutina que drenaba tu espíritu. Revisas tu agenda y te das cuenta de que hay tiempo para vacaciones, o para un fin de semana fuera de vez en cuando. Miras a tus niños y notas, apaciblemente, que están empezando a saber quiénes son y qué quieren hacer con sus vidas. Se ven más sanos. Todos actúan más sanamente. Todos *son* más sanos. Felicitaciones.

6

Pasar por alto tu vida emocional o espiritual

Conforme nos acercábamos a la conclusión de este manuscrito, Dean Ornish publicó su nuevo libro, *Love and Survival*, que se centra en los aspectos emocionales y espirituales de su innovador programa para revertir el padecimiento de las arterias coronarias. Es difícil expresar lo contentos y aliviados que nos sentimos cuando el programa de Ornish se propagó entre la comunidad profesional varios años atrás. Como él precisa en su libro más reciente, gran cantidad de investigaciones excelentes ligan la calidad de las relaciones interpersonales con la salud física. Pero es Ornish, respetado miembro del Centro Médico San Francisco, de la Universidad de California —establecimiento de medicina tradicional muy reconocido—, quien ahora afirma públicamente y con el sólido apoyo de la investigación como respaldo que *el amor es muy importante para nuestra salud física*. Tal vez esto no te impresione, pero ten presente que bordea la extravagancia a los ojos de muchos médicos y científicos. Ornish observa que en una búsqueda exhaustiva en textos médicos sólo pudo encontrar dos artículos, entre nueve millones, que incluían las palabras "amor" y "enfermedad cardiaca".

Hasta la cima, y dentro del desorden

La espiritualidad es un concepto muy amplio, con tantos significados que a muchos nos confunde en un momento u otro. Si bien puede ser trivial hacerlo, precisaremos que la espiritualidad y la religión no son lo mismo, aunque pueden estar muy relacionados. Tendemos a ver la espiritualidad como una capacidad inherente a todos los seres humanos, como lo son crecer, reproducirse, comunicarse, pensar o sentir. Por supuesto, algunos científicos discrepan de esa aseveración.

Si puedes aceptar que la espiritualidad es una capacidad inherente en todos los seres humanos, la pregunta es: ¿Capacidad para qué? ¿Para trascender? ¿Para existir en un plano no físico? ¿Para comunicarse con otros a través de miles de kilómetros o aun de años luz sin ayuda de dispositivos físicos? La lista es tan larga que preferimos abreviarla un poco. Nos gusta pensar que la espiritualidad es *1)* la capacidad de tener una relación con algo más allá de nosotros mismos, lo cual para algunos es un Dios personal y para otros es $e=mc^2$; *2)* un sentimiento que incluye a menudo un sentido profundo de conexión con toda la creación; y *3)* una sensación de asombro imposible de describir, respecto al Universo. Lo más probable es que hayas experimentado este tercer aspecto de la espiritualidad la vez última que miraste lo profundo del cielo nocturno y comprendiste que eras infinitesimal, insignificante, y uno con el Universo, en el mismo instante.

La espiritualidad se relaciona estrechamente con la sexualidad, la humildad, la vergüenza, la gratitud, el amor y la energía, entre otras cosas. La gente espiritual tiene sabiduría, que se traduce en saber cuándo intentar cambiar las cosas y cuándo no, cuándo rendirse y cuándo luchar más, cuándo pelear contra el gobierno y cuándo no hacerlo. Ya sean célibes o no, la gente espiritual abraza y celebra la sexualidad como nuestro vínculo con toda la creación: es nuestra fuerza vital, nuestra energía y nuestra pasión por la vida. Debido a que la función de la vergüenza es volvernos responsables y, por tanto, superar nuestros límites humanos, la espiritualidad está muy vinculada a ella. La vergüenza, a su vez, se liga a la humildad y a la gratitud, que son capacidades necesarias para que seamos verdaderamente fuertes.

Si analizamos la mayoría de las religiones del mundo, notaremos que la espiritualidad se expresa, experimenta o practica de dos maneras. Una es ir a la cima de la montaña proverbial y orar; la otra, que de hecho es muy prosaica, es perder el tiempo en medio del estrépito, la confusión y el alboroto de la humanidad. La primera es fácil de entender para la mayoría de la gente. Estamos solos con nuestros pensamientos, y miramos hacia el cielo y conversamos brevemente con Dios. Le pedimos que nos ayude a sobrellevar un trance difícil, o a cuidar de un amigo en dificultades. La gente que hace esto, incluyendo el 20 por ciento de ateos y agnósticos que oran con regularidad (según la investigación del sociólogo padre Andrew Greeley), está expresando su espiritualidad.

Históricamente, el otro aspecto de expresar espiritualidad nos ha hecho sudar tinta. Nos enseñaron que nuestro trabajo diario tiene dignidad y valor, y que es una expresión de nuestra espiritualidad, ya sea lavando platos, programando computadoras, haciendo cirugías a corazón abierto o atendiendo a enfermos y agonizantes en las calles de Calcuta. La mayoría de nosotros entendemos el razonamiento detrás de tal aseveración. *Lo comprendemos.* ¿Pero realmente lo comprendemos? ¿Realmente lo sentimos y anima nuestras almas cada día? ¿Realmente entendemos por qué el libro se titula *Corta leña, lleva agua* (porque acentúa la importancia de tareas comunes en ser una persona espiritual), o por qué, en *Karate Kid*, el señor Miyagi comienza a entrenar a Daniel, su pupilo, haciendo que encere su coche y diciéndole: "Cera viene, cera va"? Con la tasa de desempleo en su nivel más alto en décadas, y con tantos niños de clase media y media alta que son consentidos con la mayor parte de lo que quieren, es comprensible que muchos infantes pierdan esta conexión espiritual y vean el trabajo como degradante e insustancial. Esta idea torcida de lo que merecen por derecho les hace muy difícil ser espirituales.

El antropólogo y místico católico Teilhard de Chardin escribió: "Las profundidades de la materia son simplemente un reflejo de las alturas del espíritu". Vaya declaración encantadora. Pero si te han dado más cosas de las que cualquier persona podría necesitar en cinco vidas, esa declaración se torna vacía. Muchos adictos te dirán que uno de sus más grandes miedos y principales obstáculos para recuperarse es que la vida se vuelva aburrida. Cuando traduces esto a la luz del planteamiento anterior, lo que realmente significa es que a muchos adictos que no se recuperan les es difícil percibir o apreciar sutilezas y matices. Requiere mucha profundidad poder apreciar las pequeñas cosas diarias de la vida.

Dignidad, sabiduría, tolerancia, fuerza: todo fluye de nuestra conexión con los detalles diarios de la vida. Sí, es difícil seguir centrado en lo espiritual después de que tu casa fue destruida por una inundación, un terremoto o un tornado. Pero también es complicado seguir centrado en lo espiritual cuando estás atascado en el tráfico en un día contaminado y bochornoso de verano; o cuando tienes jaqueca, tu cuello está dolorido, tu espalda te está matando y todavía tienes cinco camisas más que planchar, o veinte páginas más que estudiar, o tres encargos más que hacer, y lo único que quieres es ir a casa.

Cómo sabotear la espiritualidad: Once lecciones fáciles

Puedes ir a la cima de la montaña y orar, o puedes perder el tiempo con otros seres humanos y tratar de amar al prójimo, y al mismo tiempo puedes preocuparte por el planeta y sus criaturas. Eso es espiritualidad. Pero, como señalamos antes, muchos estamos tan apurados y ansiosos por producir más y hacerlo más rápidamente que la verdadera espiritualidad está tan lejana como los confines del Universo. Por ello, te presentamos algunos de los obstáculos a la espiritualidad que los padres promueven o adoptan.

1. La humildad no es "genial" (arrogancia)

No estamos seguros de cuándo comenzó esta actitud, pero cuando los padres se apenan por admitir que creen en Dios o que la ciencia no necesariamente tiene todas las respuestas, los niños aprenden que no es "genial" creer en tales cosas. Cuando los padres quisieran ir a un servicio religioso pero les asusta lo que pudieran pensar sus amigos intelectuales, los niños lo aprenden. Más aún: cuando los padres se apenan de admitir su pena, los niños aprenden que la humildad y la gratitud son para el débil, no para el fuerte.

2. Ya no se puede confiar en nadie (cinismo)

El mundo se ha vuelto más complejo y más pequeño que nunca. Los miembros de tribus que alguna vez se odiaron se descubren trabajando codo a codo en los mostradores de líneas aéreas, en hospitales y en obras de construcción. Nuevas amenazas y enemigos sustituyen a los antiguos, como lo demuestra nuestro miedo a los terroristas que usan armas químicas y biológicas. En Estados Unidos, la propiedad de armas ha alcanzado tales proporciones que resulta sano, normal, sentir oleadas de miedo si involuntariamente ofendes a otro conductor en la autopista. Y, por amor de Dios, no estaciones nunca tu coche en un centro comercial sin primero escrutar a tu alrededor para ver si un ladrón está al acecho detrás de otro vehículo, sólo esperando para plantarte un arma en la cara.

Puede que en parte sea cierto que "la gente no es buena", pero también es verdad que mucha gente es *muy buena*. John Steinbeck capturó la magia de la bondad humana en su descripción inicial de las personas que vivieron en *Cannery Row* de Monterey:

> Sus habitantes son, como el hombre dijo una vez, putas, chulos, jugadores e hijos de perra, con lo que se refería a todos. De haber visto a través de otra mirilla, el hombre podría haber dicho santos, ángeles, mártires y beatos, y se habría referido a los mismos.

Las personas son, en general, muy decentes. Ricos o pobres, católicos o judíos, hombres o mujeres, a la hora de la verdad todos actuamos lo mejor que podemos. Sí, en ocasiones las personas no son tan buenas, y si eliges enfocar tu energía allí, eso es lo que verás. Pero es difícil estar conectado con otros si les temes y odias, lo que hace difícil ser espiritual.

3. No hay bastante tiempo (miedo o avaricia)

Si somos los seres humanos los más apresurados y presionados en la historia del planeta, ¿no es porque tenemos exceso de trabajo, mucha tensión, y estamos, en fin, demasiado ocupados? ¿Y no son estas cosas muestra de que somos demasiado codiciosos: "quiero más y la única manera de conseguirlo es trabajar más duro"? ¿O una muestra de que estamos asustados: "si dejo de ocuparme hasta el agotamiento no tendré lo suficiente para sobrevivir o ser feliz"? ¿Cómo puedes ir a la cima de la montaña y meditar cuando no tienes tiempo de afeitarte en casa y lo haces en el coche camino al trabajo? Por supuesto, hay otras razones por las que algunas personas trabajan muy duro, incluyendo a la mamá o al papá solteros que sólo buscan salir adelante. Nos estamos refiriendo aquí al trabajo excesivo que crees necesario, pero que no lo es.

Si valoramos con sinceridad nuestro desarrollo espiritual, tenemos que apartar un poco de tiempo para estar solos con nosotros mismos y el Universo. De vez en cuando asignamos a nuestros clientes la tarea de dedicar tiempo cada día para estar solos y tranquilos. Cuando vuelven la siguiente semana, a menudo nos comentan que fue una experiencia significativa que les abrió los ojos. Lo que lo dificulta para muchos es que implica apartarse de radio, televisión, animales domésticos, periódicos, libros, amigos, juegos de video, todo; sólo tiempo ininterrumpido, sin obstáculos, silencioso.

Si piensas que estás demasiado ocupado para orar o meditar, recuerda que la gente ora todo el tiempo. Si estás atorado en medio del tráfico de la hora pico, inclinado sobre la bocina, fumando y concentrado en el caos, en una fracción de segundo puedes darle vuelta a todo alrededor simplemente prestando atención a tu respiración mientras dices quedamente: "Gracias por este día". Durante el entrenamiento para disminuir la tensión, una persona atareada puede cerrar las puertas de su oficina por cinco minutos, cerrar los ojos y respirar siguiendo un protocolo de relajación que la deje recuperada y concentrada otra vez, no importa qué tan agitado haya sido o será el día. En medio de una cirugía delicada, tu doctora puede pensar para sí misma: "Dios, ayúdame a hacer un buen trabajo hoy".

En los hogares donde los padres dedican tiempo a la oración o la meditación, todos saben que eso está ocurriendo. La espiritualidad se demuestra, alienta y apoya. El comportamiento de los niños es asombrosamente predecible cuando tienen muestras del comportamiento de los padres. Esto vale para el comportamiento privado también; la oración, por ejemplo. Los padres que son sinceramente humildes, agradecidos y devotos (no los que fingen serlo) tienen niños que también lo son en gran medida.

4. Debo ser feliz ahora mismo: la lucha es mala (impaciencia, inmadurez)

La capacidad de valorar y gozar el esfuerzo es tan importante para ser una persona competente que, en nuestra opinión, quienes no la tienen estarán atrapados en la infancia hasta que aprendan a aceptarla. Hay mucha confusión al respecto. ¿Cuánta lucha es bastante? ¿Qué pasa si mis hijos luchan demasiado? ¿Cuándo se convierte en abuso? ¿No es bueno evitar tanta lucha como sea posible? ¿No sería mejor dedicar mi energía a otra cosa?

Luchar es estar vivo. Estar vivo es ejercer y expresar tu ser en el mundo. Expresar tu ser en el mundo es parte de la espiritualidad. La ausencia total de lucha sólo se da antes de la concepción y, dependiendo de tu creencia, después de que mueras. La lucha contribuye al significado y al valor de la vida. Eliminar la lucha de las vidas de tus hijos impide su crecimiento, y les impide estar vivos. Los niños que han sido consentidos de manera crónica son a veces como zombis. Parece que les falta ánimo, energía y dirección. Se sienten enojados, asustados, decepcionados y exigen desesperadamente atención. Y es nuestra responsabilidad si eso sucede. Nuestros hijos necesitan que los dejemos aprender a luchar. No merecen menos de nosotros.

5. Sálvese quien pueda: prefiero hacerlo yo mismo (narcisismo, aislamiento y soledad)

Erik Erikson sugirió que Estados Unidos se construyó sobre fundamentos socioculturales que se saltaron la primera etapa del desarrollo humano: confianza frente a desconfianza. Esto puede sorprenderte porque muchos estadounidenses se enorgullecen de cuán amistosos son, o de su presteza para ayudar a un vecino que lo necesita. Pero la intimidad tiene muchos niveles. Mientras estás ayudando a tu vecino a construir una cochera, puede que ignores que tiene depresión o problemas maritales. ¿Eres de los que están continuamente ocupados en la cocina echando una mano a la anfitriona porque temen secretamente la interacción social con otros? ¿Tienes alguna relación en la que compartas lo más profundo de ti? ¿Sufrirías una conmoción terrible si descubrieras que tus vecinos aparentemente dichosos están muy preocupados por su hijo adolescente? Es perfectamente factible que tengas mucha interacción con amigos y vecinos e ignores lo que ocurre en realidad en sus vidas. Creemos que a esto se refería Erikson.

6. Si no puedes verlo y medirlo, no es verdadero (escepticismo)

Aquí vienen otra vez los científicos inflexibles, benditos sean. El escepticismo puede ser algo bueno, como el optimismo. Hasta cierto punto. Después, el escepticismo comienza a erosionar tu espiritualidad. La capacidad de maravillarse por el Universo, y la de apreciar sus partes (todavía) insondables, son característi-cas esenciales de la espiritualidad. Quizá debemos decir que el escepticismo estricto es perjudicial para el espíritu. Después de todo, Jesús amó a su dubitativo Tomás tanto como al resto de sus apóstoles, y Tomás era uno de los apóstoles por una razón.

También recuerda que hay más de una manera de *ver*. A ve-ces las malas decisiones proceden de personas muy inteligentes pero desconectadas de sus emociones, y que por tanto deciden con sólo la mitad de la información disponible. Dos personas que observan la misma interacción humana pueden interpre-tarla de maneras muy diversas. *Ver* no siempre es lo que parece. Pregúntate cómo puedes ver con el corazón tan bien como lo haces con la cabeza.

7. ¿Qué puede lograr una sola persona? (impotencia)

Cuando la madre Teresa murió, en 1997, una minoría pequeña pero ruidosa la criticó por no centrar más su energía en aliviar las causas de la pobreza, de la enfermedad y del hambre, en vez de simplemente de atender al enfermo y al agonizante. Pero una persona que dedica su vida a un trabajo auténtico como éste deja tras de sí un mensaje indeleble para cada uno de noso-tros: que una persona puede cambiar las cosas.

Hay quien dice que Nelson Mandela desperdició su vida por pasar tanto tiempo en prisión, y que pudo servir mejor a su país accediendo a los deseos de sus captores. Sí, es desalen-tador tomar conciencia de que un problema tan abrumador no tiene solución, pero, ¿dónde estaríamos sin los hombres y las mujeres que tuvieron la fe, el espíritu y el alma para seguir ade-lante a pesar de las probabilidades abrumadoramente bajas? Por ejemplo, el planeta entero podría estar bajo el dominio nazi. La poliomielitis podría seguir matando y lisiando a millones de personas. Podríamos seguir con la creencia de que el Sol gira alrededor de la Tierra. Un hombre o una mujer con un propósito y una férrea determinación lograrán cambios, pero deberán ser espirituales para hacerlo. Sin espiritualidad, las personas se desalientan y renuncian cuando los obstáculos se multiplican.

8. Si las demás personas son pobres o están enfermas, atribuladas o agonizando, es su culpa; no es mi problema (narcisismo, egocentrismo, inhabilidad para amar o sentir empatía y compasión)

La manera fácil de tratar esta barrera espiritual es abordarla desde un punto de vista puramente biológico. Somos animales sociales como los babuinos y los lobos. Hablando científicamente, esto significa que sin los demás no habríamos sobrevivido tanto como lo hemos hecho. Reuniendo nuestras inteligencias, aumentamos nuestra capacidad de supervivencia de manera exponencial. Una persona es buena para construir botes con los árboles, otra para trazar un curso mirando el movimiento de las estrellas en el cielo, otra para cultivar, pero otra es un mediador nato, que no es poca cosa en un viaje en mar abierto, hacia un destino desconocido, en una estrecha canoa tallada en un tronco.

Ésa es la explicación científica. La espiritual es que somos criaturas empáticas, cariñosas, movidas por dos instintos. Uno es ser independientes, construir, crear, conquistar e imponer nuestra voluntad en la creación. El otro es unirnos social, emocional y espiritualmente con otros no sólo para nuestro bien común, sino porque desearlo forma parte de nuestra identidad como seres humanos. Cuando una sociedad apenas sobrevive en condiciones de hambre prolongada a menudo ocurre que cada hombre ve por sí mismo. No hay simplemente suficientes recursos para que la gente haga otra cosa que arreglárselas; con una excepción: Quienes tienen una orientación religiosa o espiritual pueden tomar decisiones éticas, caritativas, y actuar en consecuencia por largos periodos, a diferencia de quienes no la tienen. ¿Cuál es la función de la religión si no ayudarnos a superar nuestras limitaciones humanas e instintos animales? Todo ser humano experimenta pérdidas, tragedias y carencias. Todos experimentaremos épocas duras a lo largo de nuestra vida. Todos necesitaremos urgentemente de los demás de vez en cuando. Las personas espirituales entienden y aceptan este hecho de la vida.

9. Más rápido es mejor; más es mejor (voracidad)

En *La democracia en America*, escrito en 1835, Alexis de Tocqueville describe a los estadounidenses como "por siempre obsesionados por las ventajas que no poseen [...] Es extraño ver con qué ardor febril persiguen los estadounidenses su propio bienestar, y observar el vago pavor que los atormenta constantemente por miedo a no haber elegido la trayectoria más corta que puede conducirlos a él". Los estadounidenses nos enorgullecemos de lo listos e innovadores que somos. Encabezamos al mundo en la exploración del espacio, en la informática, la medicina y los restaurantes de comida rápida. Trabajamos por horas y horas. También consumimos la mayoría de los recursos naturales del mundo aunque sólo constituimos cerca de 5 por ciento de su población. Crecer en medio de esta abundancia puede dar a un niño una idea muy distorsionada del resto de humanidad. Imagínate lo aislado que el niño debe estar. Es casi como crecer en Disneylandia en vez de en el mundo verdadero. El crecimiento en la abundancia sin un sentido de proporción sobre ella puede hacer a un niño ingrato e infeliz en vez de compasivo con el resto de la humanidad. Así, no sorprende que muchos creamos que más es mejor. Un refrán trágico que circula por el país es: "El que muere con la mayor parte de los juguetes gana". ¿Qué gana? ¿Cómo podía alguien con esa filosofía de la vida desarrollar su espiritualidad? Es difícil imaginarlo.

¿En verdad más rápido es mejor? En muchos casos lo es. Preferimos volar a San Francisco que ir en un vagón cubierto. Preferimos que nos perforen los dientes con un taladro de alta velocidad y no con uno de esos dolorosos y lentos modelos de los años cincuenta. ¿Pero pasar como bala por el servicio al auto en McDonald's y zamparte una hamburguesa mientras corres por la autopista es tu idea de una experiencia estética? ¿O puede ser una experiencia estética, incluso espiritual, saborear una comida de siete tiempos preparada y presentada con cuidado artístico, ingerida despacio, y acompañada por la cálida conversación de viejos y queridos amigos? ¿Es mejor leer la versión condensada por *Reader's Digest* de una gran obra literaria, o puede ser que te estés perdiendo de algo? Sin duda hay cierto valor en procesar ocasionalmente algo con todos tus dispositivos de entrada de baja velocidad (es decir, los cinco sentidos) y paladearlo, en vez de descargarlo vía un puerto serial implantado en la parte posterior de tu cráneo.

10. Las distracciones son mejores que los sentimientos (adicción, miedo a la intimidad, inhabilidad para experimentar la vida en plenitud)

A menudo se dice que tenemos una cultura adictiva. Cuando superas las bases bioquímicas de la adicción, te quedan las emocionales y sociales. Las adicciones comienzan como un útil adormecimiento de sentimientos incómodos. No hay nada intrínsecamente incorrecto en ir a casa en la noche después de un día particularmente tenso en el trabajo y abstraerse frente a la televisión o disfrutar una bebida fuerte. Nuestros cerebros tienen la capacidad para distraerse por un motivo. Las distracciones nos ayudan a evitar la sobrecarga. El problema aparece cuando la distracción ocasional se torna en una rutina. Un par de bebidas algunas veces al año se convierte en varias bebidas con regularidad, o en una enorme borrachera periódica. O mirar la televisión mecánicamente un par de horas se convierte en ver televisión por varias horas cada día.

Imagina, si puedes, la clase de intimidad que hay en una casa donde uno, varios o todos los miembros de la familia miran la televisión compulsivamente. Imagina la perturbación a la intimidad que ocurre si un miembro de la familia está ligeramente drogado a toda la hora. ¿Cómo es diferente interactuar con esta persona? Este miembro de la familia puede argüir que sólo está ligeramente "achispado" y que es más agradable y divertido estar con él cuando está un poco "pasado". ¿Pero no es diferente? Quienes viven con alguien que siempre está un poco drogado te dirán que es enormemente diferente, y que se sienten terriblemente desconcertados porque es una diferencia tan sutil que el adicto puede seguir arguyendo que lo que hace es más bueno que malo.

Una adicción bloquea los sentimientos de manera regular. Ya que es imposible bloquear uno sin afectar los otros, la vida emocional de la persona adicta es nula o está torcida. Debido a que una intimidad profunda entre individuos requiere una conexión emocional, una adicción bloquea la intimidad. Los adictos te dirán a menudo que su adicción propicia la intimidad al relajarlos, abrir sus límites o volverlos más agradables en sociedad. Pero esto es verdad sólo en un nivel superficial. Interactuar con una persona adicta sólo permite intimidad superficial. Por eso es tan aburrido e insatisfactorio estar en una fiesta donde todos menos tú beben o usan sustancias. Todos creen que están gozando intimidad y cercanía, pero no es así, y tú eres el único que lo sabe. Puede que lo sepan al día siguiente, cuando se sientan avergonzados o no recuerden toda esa "intimidad", pero para entonces, la fiesta habrá terminado.

Si la espiritualidad requiere la capacidad de relacionarse con otros seres humanos, y de apreciar lo inefable del Universo, una adicción interferirá con la espiritualidad de una persona. A menudo utilizamos el ejemplo de un tornado que va directamente a la casa de un adicto. El adicto sacude desafiante su puño hacia el tornado y grita: "Mantente lejos de mi casa", y en sus ilusiones narcisistas de grandeza y poder cree realmente que esto salvará su casa. La persona espiritual de la casa contigua mira el tornado y piensa: "Esto es mucho más fuerte que yo" y se encamina hacia el sótano. Después de que el tornado pasa, destruyendo ambas casas, la persona espiritual se arrastra fuera de su sótano y busca el cadáver de su vecino adicto para darle un entierro digno.

Vivir la totalidad de la vida, incluyendo dolores y decepciones, alegrías y triunfos, es una de las mayores virtudes de ser espiritual. Permite profundidad y aprecio sin paralelo. Permite sentirnos agradecidos por lo que tenemos y por lo que hemos perdido y, gracias a ello, sentir alegría. No podemos hacer ninguna de estas cosas si tenemos una adicción.

11. Si permito a los demás ver mi verdadero "yo", me lastimarán (miedo a la intimidad)

Cuando nos entrevistamos con un nuevo cliente, una de nuestras preguntas es: "¿Te sientes satisfecho con la cantidad y la clase de apoyos que recibes en tu vida?" Conforme avanza la terapia, uno de los cambios más significativos es la profundización de su capacidad para la intimidad. Haciendo a un lado la jerga, esto significa simplemente que pueden compartir con los demás partes más y más profundas de sí mismos sin perder su identidad. Una de las paradojas intemporales de la experiencia humana es que aquello que más deseamos es también lo que más tememos: *que los demás nos vean*. Por razones obvias, cuanto más compartamos con otros, más nos exponemos a la crítica y el rechazo, equivalentes psicológicos de un ataque físico mortal.

Es indudable que si muestras a la gente el verdadero tú, algunos te lastimarán. En esto radica el dilema. Si te proteges cerrándote a otros seres humanos, estarás a salvo en cierta forma, pero tan aislado y solo que acabarás lastimándote profundamente de otra manera. Considera lo que experimenta mucha gente en grupos de terapia y de ayuda. Cuando una mujer se sienta en un círculo por primera vez con otras mujeres y declara: "Me llamo Jill, y tengo cáncer de pecho", sucede algo espiritual que las cambiará para siempre. Cuando un hombre declara por primera vez que su padre lo golpeaba cuando era pequeño, y derrama lágrimas genuinas mientras habla, o cuando el individuo a su lado comenta que el juego casi ha destruido su matrimonio y su familia, casi pueden verse las conexiones espirituales que se forman, fortalecen y, después, se profundizan entre los miembros del grupo. Si se mira de cerca, casi pueden verse rayos de luz propagarse de persona a persona. Cuando alguien corre el riesgo de compartir partes de sí mismo ligadas a la vergüenza y el miedo, y si comparte estas partes en un ambiente seguro, sucede algo inefable. Es una sensación indescriptible de calor, conexión, alivio y paz interior que constituye una parte importante de la espiritualidad.

Podemos todos ir a la cima de la montaña y orar por nosotros mismos, lo cual es bueno. Pero mientras no corramos el hermoso, cordial riesgo de dejar que otros nos *vean*, seguiremos funcionando con sólo la mitad de nuestros pistones espirituales.

Enseña bien a tus hijos

Muchos sabemos qué hacer para ayudar a nuestros hijos a ser más espirituales, pero a veces es difícil hacerlo porque requiere cambios y compromiso de nuestra parte. Desarrollar humildad y confianza, darse tiempo para vivir, aprender a apreciar el valor del esfuerzo, y hacer frente a nuestro propio aislamiento, narcisismo, egoísmo, miedo a la intimidad, o ira sin resolver por abuso religioso en la niñez, implica valor, esfuerzo y riesgo. Ciertas clases de depresión clínica deben tratarse con medicación, pero afrontar la vida con realismo y esperanza requiere que crezcamos, y crecer es difícil.

Es fácil decir que muchos padres son tan inmaduros hoy día que es como si unos niños criaran a otros niños. Pero esto siempre ha sido verdad en cierta medida, y siempre lo será, porque nadie es completamente maduro ni completamente sano. La pregunta no es: "¿Quién ha madurado bastante para criar niños?" Una mejor sería: "¿Cómo puedo madurar un poco más, y cuándo estaré listo para hacerlo?" Uno de los descubrimientos más afortunados que hemos hecho a lo largo de los años es que nunca es demasiado tarde para que un padre se arriesgue a crecer un poco más, y si un padre se arriesga, siempre habrá consecuencias positivas para sus hijos. Reconocemos que es aventurado decir "nunca" y "siempre", pero hemos visto resultados positivos tantas veces, y en edades, etapas y circunstancias tan diversas, que es un riesgo muy bajo.

7

Ser el mejor amigo de tu hijo

Agallas

H. Jackson Brown, autor del éxito de ventas *Life's Little Instruction Book*, escribió otro librito que se basa, en su mayor parte, en las sabias enseñanzas de su padre. Tenemos un ejemplar de *A Father's Book of Wisdom* en nuestra sala de espera y recibimos numerosos comentarios positivos sobre él de quienes lo han hojeado. Una de las citas de su padre dice: "Hoy en día, los padres son amigos porque no tienen agallas para ser padres". Es una cita rotunda, y resulta interesante que la mayoría de las personas que la leen simplemente asienten con la cabeza mostrando su aprobación. Durante nuestras sesiones de terapia, parte del trabajo que realizan nuestros clientes consiste en descubrir todos los matices e implicaciones de una cita como ésta. Los padres saben que hay algo de verdad en ella, pero no siempre están seguros de lo que significa en la práctica.

Determinar la salud de la relación entre padres e hijos no es sencillo, y se complica más por la notable diversidad entre los estilos de paternidad de las distintas culturas. Sin embargo, podemos decir que los seres humanos son tan adaptables y resistentes que casi cualquier estructura de la relación puede ser sana, dentro de ciertos límites. En algunas culturas, los bebés se quedan en sus cunas más tiempo que en otras. En algunas hay ritos de paso; llevan a niños de una etapa de la niñez a la siguiente; en otras parece no haber tales ritos. Los psicólogos de niños probablemente seguirán discutiendo la cuestión de los estilos de paternidad universalmente sanos mientras haya vida en el planeta. Pero eso no significa que no hay pautas para seguir.

¿Por qué muchos asentimos con aprobación cuando leemos una cita como la de Brown? Seguramente porque coincide con nuestra opinión sobre los niños de este país. ¿En qué coincide exactamente? Creemos que toca una aguda preocupación que muchos tenemos sobre la frágil línea divisoria entre el padre y el niño en Estados Unidos. Los teóricos de los sistemas familiares, entre ellos Salvador Minuchin, precisan que en una familia sana hay un límite semipermeable entre padres e hijos: están vinculados de manera íntima, pero también separados de manera apropiada. Es decir, en una familia sana, alguien siempre está a cargo. Cuando la frontera comienza a desvanecerse, el resultado es el caos emocional.

Caos o aislamiento frente a comodidad y seguridad

Éste es otro ejemplo en que el examen de los extremos puede ayudarnos a convertirnos en mejores padres. Cuando entre padres e hijos hay una frontera muy débil, el resultado es el caos; cuando hay un límite muy rígido, el resultado es la desconexión y el aislamiento. Ni lo uno ni lo otro es sano. Cuando la frontera entre padres e hijos es clara y flexible el sistema funciona mucho mejor. Para algunas familias el objetivo principal de la terapia consiste en reparar esta frontera intergeneracional de modo que los niños se sientan cómodos y seguros y al mismo tiempo tengan espacio para crecer.

El caos emocional

Si piensas que el caos emocional puede ser un problema estás en lo correcto. ¿Por qué se ocasionaría caos emocional si un papá o una mamá intenta ser amigo de su hijo? Sólo mira alrededor. ¿Cómo es un salón de clases cuando el profesor intenta siempre ser "el agradable"? Lo sabes. Estamos hablando del profesor que es realmente "flojo" y carece de estructura, y que valora más ser amigo de los estudiantes que enseñarles y demostrarles quién manda. Al principio es divertido, ¿no es así? Los niños están emocionados por esta relación "más cercana" que establecen con un adulto. Los hace sentir especiales e incluso poderosos. Unas semanas después algunos estudiantes comienzan a tener sus dudas al respecto. Se siente como si nadie estuviera a cargo. Las tareas no están claras. Si algunos estudiantes desafían alguna de ellas, el profesor dedica una cantidad excesiva de tiempo a "procesarla" con ellos en un intento por mantener a todos felices. Muy pronto los estudiantes están al mando del salón de clases. Muy pronto se presenta el caos.

¿Y qué hay del lugar de trabajo? ¿Qué ocurre cuando tienes un vicepresidente, un encargado o un supervisor cuya meta es ser tu amigo? Lo mismo. Al principio es agradable. Todos están verdaderamente cerca. Es un ambiente cálido. Una gran familia feliz. En esta clase de gerencia, lo que sucede después de que las cálidas confusiones desaparecen es en gran medida lo que ocurre en el salón de clase. Las personas no saben qué se supone que deben hacer. No saben cómo las están evaluando. Todos se sienten bien hasta que hay un conflicto y entonces multitud de gente se siente apuñalada por la espalda por el señor o la señora Agradable. Esto ocurre porque es imposible agradar a todos. Tú quisieras que tu proyecto continuara, los superiores no. Se te retirará el financiamiento pero tu supervisor tiene que ser el Señor Agradable, así que nunca te lo dice directamente, esperando en secreto que lo sepas a través de otro. Cuando esto ocurre, sientes que tu supervisor te tendió una trampa entre bastidores, aunque no lo haya hecho, pero probablemente sí, pues no podía ser sincero por miedo a que te enojaras con él.

Los niños necesitan y desean estructura. No saben pedirla directamente. En sistemas débiles, también son seducidos por la carencia de estructura. Se acostumbran a ella, se embriagan con ella, y entonces no pueden dejar de lado el poder excesivo que han adquirido. El dilema final para padres e hijos cuando llegan a este punto es que ambos desean ser aceptados porque aman y cuidan uno de otro, pero ambos necesitan estructura. Ciertamente no es responsabilidad del niño proporcionarla, y en cierto nivel inconsciente ellos lo saben. El resultado no es muy bueno.

Aislamiento y desconexión

En el otro extremo, hay familias en las que los padres están tan alejados de los niños que hay poco calor o conexión entre ellos. Se trata de padres demasiado severos, rígidos, inflexibles y autoritarios, o los que simplemente son demasiado desapegados. Entre estos últimos están los de las estereotipadas familias ricas en que una nana cría a los niños y se les envía al internado a temprana edad. Nuestros clientes que fueron criados en esta clase de familia describen a menudo su relación con sus padres como la que hay entre un empleado de nivel bajo y el director de la corporación: muy distante, muy formal y con poca conexión emocional.

Por lo general, este tipo de sistemas ofrece pocas oportunidades para que los padres se vuelvan amigos de sus hijos; de igual manera, hay poca oportunidad de desarrollar la relación. A diferencia del sistema del "amigo", en un tipo de sistema rígido los niños saben qué se espera de ellos a cada momento. Si la hora de dormir es a las 9:00 pm, los niños se van a la cama a las 9:00 pm, incluso si a las 10 pm estuviese ocurriendo una rara lluvia de meteoritos que se presentase cada 100 años, y fuese una noche de sábado y papá y mamá la estuvieran mirando con todos los otros adultos y niños del vecindario. Las reglas son reglas, y no hay excepciones. En este estilo de paternidad subyace un temor a la proximidad emocional, así como a aceptar lo incontrolable en el Universo. El miedo es una emoción sana que nos proporciona información crucial sobre la vida. El control es también sano hasta cierto punto, por ejemplo, en nuestras tentativas de controlar el efecto del clima mediante la construcción de estructuras que nos resguardan de los elementos. Si no temiéramos la muerte por congelación, no nos preocuparíamos por aislar nuestros hogares e instalar calentadores. El control excesivo indica ansiedad y miedo excesivos, y aunque este tipo de familia parece muy ordenada en la superficie, la psicología interna está en caos. Hay poca paz interna.

Si se enojan, no te desmoronarás

Una pregunta que oímos a menudo cuando los padres comienzan a luchar para reparar estas fronteras entre generaciones es: "¿Cómo puedo modificar mi relación con mis hijos sin causar tensión?" La respuesta es simple: "No puedes". Es imposible reparar algo en un sistema sin causar tensión. El cambio angustia a las personas. La buena noticia es que nadie se muere por cambiar de vez en cuando. Y no hay nada raro en que los niños se enojen con los padres cuando éstos dicen "no". Es natural enojarse cuando alguien se niega a nuestras peticiones. Es normal.

Imagina que tu hijo de diez años ha pasado literalmente todo su tiempo contigo, siendo tu camarada, y que no ha aprendido a llevarse con otros niños. Supón que decides cambiar eso. Supón que vas camino a un lago próximo para dar una apacible caminata en soledad, y tu hijo de diez años comienza a seguirte, pero le explicas con gentileza que necesitas cierto tiempo contigo para reflexionar. Lastimarás sus sentimientos, y él se enojará contigo por haberlo rechazado en una situación en la que por lo general lo incluirías. Vas a tu caminata. Regresas. Quizá él está resentido. Actúas como si nada hubiera ocurrido. Él continúa poniendo mala cara. Continúas con tu día. Él se disgusta aún más. Finalmente, con firmeza pero con cariño le explicas que hay ocasiones en que necesitas hacer cosas para ti, que entiendes su enfado, pero que el enfado no cambiará esto, y que si continúa con su mala cara tendrás que pedirle que se vaya a su cuarto porque no vas a tolerar suspiros y ojos en blanco el resto del día. Entonces continúas con tus asuntos. Él sale y pone peor cara.

Eventualmente se da cuenta de que no vas a ceder ante su mala cara, se anima y decide ir a la casa de junto a ver si el vecino desea jugar. Esto es totalmente normal y natural. ¿Es doloroso para ambos hasta que el cambio se vuelve parte del sistema? Por supuesto que lo es. ¿Eso significa que no debe realizarse el cambio? Por supuesto que no.

Tal vez hayas notado que este apartado destaca que no te desmoronarás si se enojan contigo. Según nuestra experiencia, detrás del miedo a que el cambio lastime a los hijos está el miedo de los padres a no saber manejar la angustia de corto plazo que les producirá el enojo de los niños. Recuerda que los niños no se derrumbarán si sus padres realizan este tipo de cambios con firmeza, cariño y calma, pero con constancia. Simplemente no se derrumbarán.

Ejemplos de comportamiento de camarada

A veces la línea entre ser un padre cálido y ser un amigo no es tan clara, así que revisaremos algunos ejemplos de situaciones que han resultado problemáticas para algunas familias. Probablemente notarás en seguida dónde radica el problema.

Hacia el Club Campestre

Janie es la niña de los ojos de su papá, lo cual agrada al papá, a la hija y a la mamá, cuyo padre no le hizo caso cuando era niña. Janie va con el papá a todas partes. En especial le gusta acompañarlo al club campestre y actuar como su compañero mientras él juega *bridge* con sus amigos. Ella se siente como reina y es una verdadera fiera, así como un encanto. A todos les gusta tenerla cerca, en especial a los compañeros de juego del papá. Janie tiene once años ahora, y esto ha durado mucho tiempo.

Esto se ha convertido en parte de la estructura de la familia con efectos positivos hasta donde uno puede ver. Cuando ella entra en un cuarto, todos los ojos se vuelven hacia ella, como cuando aprendió a caminar y la cara del papá se encendió con un resplandor celestial. La gente comenta la gran relación que ella tiene con su padre, y sus amigas la envidian en secreto por toda su energía, encanto y atención.

¿Cuál es el problema?

Varias personas nos preguntan qué podría estar mal en ser la princesa de papá o el hombrecito de mamá. Parece la manera más natural de construir la autoestima de un niño, y todos conocemos niños que parecen tener reservas gigantescas de autoestima. Suelen ser ecuánimes, confiados, asertivos, triunfadores y el centro de la atención. ¿Cuál es entonces el problema? Si la vida fuera solamente logro y confianza no habría problema. Pero la vida también son relaciones, profundidad y equilibrio. Así pues, analicemos algunas posibles áreas problemáticas.

Primero que nada, aunque la mamá anime a Janie y a papá a tener una relación tan especial *porque mamá tuvo una relación distante con su propio padre*, lo que sucede realmente es que la mamá pronto comienza a sentirse *justificadamente* celosa y resentida porque la relación se vuelve demasiado especial y exclusiva. Se supone que la mamá es la persona más significativa de la vida de papá, no Janie. Mamá entra en la sala y el papá puede o no notarlo. Janie brinca con entusiasmo en la sala y salta al regazo de papá y él sonríe emocionado. La mamá desea pasar una tarde con el papá porque no han salido en semanas, pero ella tiene que competir con Janie por la atención del papá; o peor, el papá invita a Janie para que los acompañe. Eventualmente, este arreglo no sólo da a Janie un sentido equivocado de sí misma, sino que también perjudica su relación con su madre. La mamá se resiente secretamente contra Janie y después se odia por sentir eso, lo que hace un daño terrible a su propia autoestima. La mamá y Janie tienen, en el mejor de los casos, una relación tirante, despojándolas de la alegría que podrían compartir.

En segundo lugar, si Janie tiene hermanos o hermanas, ocurre lo mismo. Ellos están secretamente resentidos con Janie pero sus sentimientos están en agudo conflicto, lo que hace que en su interior estén angustiados y confundidos. Después de todo, si están resentidos en secreto con la Princesa, y si el Rey lo descubre, pueden quedar en peor posición de la que están. Así que aspiran a ser como ella con la esperanza de ganar algo de la atención especial del papá pero, por desgracia, no importa cuánto se esfuercen, no pueden ganar. ¿Por qué no? Porque no son Janie. Si cualquier persona planteara esta situación con el papá o la mamá, se mostrarían consternados e incrédulos, y darían ejemplos de cómo el papá trata a cada niño de una manera especial. Pero si Janie es en verdad camarada y princesa del papá, no importará lo que éste haga. El daño se producirá de todos modos. Cuando trabajamos con adultos cuyo hermano era el especial durante su niñez, una parte importante del trabajo de la terapia se centra invariablemente en el daño, el resentimiento, la culpabilidad y la vergüenza que se han acumulado por decenios.

Tercero, debemos preguntar qué está sucediendo con papá. Tener una relación especial con tu hijo o hija generalmente es más fácil que tener una relación especial con tu pareja, porque los niños son vulnerables y están predispuestos a amarnos porque dependen de nosotros. Si tratamos mal a una pareja por bastante tiempo, generalmente nos dejará. Los niños son mucho menos propensos a irse. Así pues, todo el tiempo que el papá está teniendo esta maravillosa relación con Janie, algo dentro de él está susurrando: "Esto no es correcto. Debes pasar más tiempo con tu esposa. Pero ella es un adulto. Es más una amenaza". O si el papá está sobrecompensando su propia niñez dolorosa, se está defraudando en el corto plazo al no enfrentar su dolor y trabajarlo. De hecho, está utilizando a Janie para no madurar, aunque al oír esto se sentirá consternado.

Finalmente, Janie está sufriendo daños peculiares que probablemente no advierta hasta que tenga veintitantos o treintaitantos años. Para ella será una carga ser la adorada de todos en la escuela primaria, la secundaria, la preparatoria y la universidad. Va a la universidad y es otra vez una estrella. Los muchachos revolotean a su alrededor porque su personalidad es contagiosa, encantadora y cautivadora. Pero cuando cumple treintaitantos se presentan señales sutiles de que algo ha ido mal. Incluso Janie se está dando cuenta, pero después de treinta años de estar en la cima del mundo, la perspectiva de atender un defecto personal es demasiado para sobrellevar, así que simplemente continúa por la vida de la manera en que siempre lo ha hecho. Sus padres notan que los hombres con quienes se involucra la tratan como una princesa.

Ella sale con hombres poderosos que desfilan con ella del brazo, como si fuera un accesorio, hasta que la desechan por un modelo más reciente; o sale con hombres que la tienen literalmente en un pedestal como una princesa, lo cual la hace desdeñarlos después de un rato. Una relación amorosa de adultos requiere cierta profundidad después de un rato, y para tener profundidad debes estar dispuesto a mirarte profundamente. En esto reside el *quid* del problema. Cuando Janie haya tenido más o menos un decenio de relaciones infelices y esté lista para analizar profundamente esta dinámica, resultará demasiado doloroso reconocer qué le ha sucedido. Cuando finalmente pueda *ver* y *sentir* conscientemente lo que la afecta, deberá afrontar el hecho de que ser demasiado especial es tan malo como no ser suficientemente especial. Por supuesto, sus padres no hicieron esto con mala voluntad: pensaron que era lo mejor. Los sentimientos encontrados y la agitación interna que experimentará serán asombrosos. Por fortuna, si resiste el dolor de hacer frente a este patrón perjudicial podrá establecer una buena relación amorosa algún día. Pero no hasta que lo haya enfrentado.

Qué hacer

Si tú o tu pareja tienen la leve sospecha de que la dinámica del príncipe o la princesa ha comenzado, lo primero que deben hacer es hablar sobre ello tranquilamente y de manera específica. Por ejemplo: "Amor, extraño los momentos que pasamos a solas. ¿Has sentido lo mismo?" La pareja tiene que evitar ponerse a la defensiva y asimilar lo que ha escuchado, reflexionarlo por algunos días y no rechazarlo de entrada. Un esposo podría decir a su esposa: "Me apena hablar de esto, pero es algo que podría traer problemas si no digo algo ahora. Estoy comenzando a sentir resentimiento por tu relación con Timmy". La esposa tiene que asimilarlo, prestar atención y estar abierta a la posibilidad de que su esposo esté tocando un asunto relevante.

Si no estás seguro de estar procediendo bien o mal, dilo y sugiere buscar el consejo de un tercero, alguien que no sólo apoye cuanto hagas o digas. Todos conocemos a la gente que apoyará lo que digamos, y todos sabemos cómo darle un giro a la historia para hacerla parecer mejor o peor de lo que es realmente. Si buscas consejo externo, asegúrate de que sea objetivo.

Si tienes una relación sólida, este viraje a mitad del camino no será una experiencia desalentadora. En el peor de los casos, será incómodo durante algunas semanas mientras se implementan los cambios. ¿De qué cambios estamos hablando? Si atiendes el problema en una etapa temprana, son cosas simples como prestar igual atención a los otros chicos y al especial, o cerciorarse de que tú y tu cónyuge salen regularmente sin niños. En nuestro ejemplo del club campestre puede ser que el padre vaya al club solo, o con la esposa, y lleve a Janie solamente cuando vayan los otros niños a una reunión familiar.

Esforzarte en hacer tu matrimonio especial y hacer que todos los miembros de tu familia se sientan importantes salvará tu matrimonio, al niño especial y al resto de tus niños de años de confusión y angustia. Recuerda, por favor, que el cambio es incómodo y perturbador al principio, y que los niños no se derrumbarán sólo porque de vez en cuando instituyas cambios.

¡Mamá es de la palomilla!

La señora Thornton es estupenda. Su hijo adolescente, Bill, y todos sus amigos pasan mucho tiempo en su casa: ella es siempre muy amistosa, conversadora y divertida. Clarence, amigo de Bill, le dijo a su papá que la señora Thornton "es como uno de nosotros". Ella trabaja en las mañanas en una compañía de desarrollo de *software* y llega a casa a las 2:30 de la tarde, de modo que puede estar allí para sus hijos. Muchas tardes, su cocina está llena de adolescentes a quienes da de comer y con quienes convive. Les encanta que bromee y actúe más como una de ellos que como el padre *típico*.

¿Cuál es el problema?

Los adolescentes usan dos frases magníficas: "¡Consíguete una vida!" y "¡Madura!" Ése es el problema. ¿Dónde están los amigos de la señora Thornton? ¿Qué está haciendo de su vida? ¿Cuándo dejó de madurar? Cuando se sienta en su casa y espera a su hijo y a los amigos de éste para convivir, el mensaje que envía, le guste o no, es: "No tengo amigos. Me da miedo hacer amigos adultos. Me asusta incluso tratar el problema. No tengo nada que hacer con mi vida cuando no estoy trabajando". ¿Significa esto que nunca debe estar en casa cuando los chicos regresan de la escuela? Ciertamente no. Es muy bueno que los niños sepan que alguien los espera después de la escuela. La cuestión está en cómo se dan esas interacciones.

En las noches de viernes y sábado, los papás y mamás atrapados en esta trampa dirán algo como: "Claro, ve y diviértete con tus amigos. No estoy solo. Tengo mucho que hacer esta noche (como planchar tus camisas o blusas, lo que te hace sentir aún más culpable). Mi diversión es ver cómo te diviertes con tus amigos (traducción: estoy viviendo mi vida a través de ti)".

Nuestros clientes adultos que vivieron con este patrón recuerdan sentirse muy culpables y responsables de su papá o mamá. Muchos de ellos eligieron permanecer en casa las noches de viernes y sábado, diciendo: "Ya sabes, papá, yo realmente disfruto quedarme en casa los fines de semana de vez en cuando. Después de todo, creceré y me iré de la casa antes de que te des cuenta". Suena bastante bien, ¿no? Hijo leal, que no usa drogas o experimenta con el sexo. Sólo se queda en casa junto a la chimenea con el bueno de papá. Excepto por una cosa. Por dentro están rebosantes de compasión, resentimiento y culpabilidad, pero no conocen ninguna salida. Las únicas salidas son dejarte en casa en tu lastimoso estado, o permanecer contigo y resentirse. Los hijos son como pequeñas moléculas de aire que se expanden y llenan cualquier vacío que encuentran. Si tu vida es un vacío, intentarán automáticamente meterse y llenarlo, no importa que les hayas pedido lo contrario.

Qué hacer

La solución más fácil a este problema es conseguirse una vida, además de la que llevas con tus hijos y sus amigos. Para algunos, esto es una tarea abrumadora debido a sus carencias particulares de la niñez, pero es posible realizarla con éxito si te lo propones. Recuerda que siempre que te digas que no puedes hacer algo, o que algo nunca sucederá, no podrás y no ocurrirá. Cuando observas la tarea como un desafío que puede lograrse mediante el esfuerzo, podrás lograrlo.

Quienes tienen dificultades para encontrar a otros adultos con quienes convivir a menudo nos dicen que simplemente no saben cómo, o que no saben dónde buscar. Pero si miras alrededor, verás centenares y centenares de personas. El problema no es la falta de gente, sino la carencia de conocimientos, además de cierto miedo de afrontar el riesgo de iniciar relaciones. Recomendamos que comiences diciéndote esto: "Dejaré de depender de mis hijos para el apoyo adulto que necesito, incluso si mis hijos son adultos ahora. Mi primer paso es ir a lugares donde probablemente encontraré a otros adultos, aunque esto me haga sentir incómodo. Mi meta inicial es nada más estar en lugares donde pudiera encontrarme con otros adultos. Perseveraré en esta meta hasta que me sienta cómodo, y entonces estableceré la siguiente meta para desarrollar un par de amistades."

Hemos visto a literalmente cientos de personas solucionar con éxito este problema. No es fácil al principio. Después de todo, el miedo a ser herido por otros es universal. Observamos que un hombre decide deambular por la iglesia después de misa para socializar, por primera vez desde su niñez. Aplaudimos en silencio a una mujer que se ofrece a apoyar a otras mamás como tutoras de escuela. Sentimos alegría cuando una pareja se inscribe en clases de baile de salón las noches de viernes, sabiendo que deberán interactuar con otros adultos y, quizás por primera vez en muchos años, acercarse entre ellos. Hoy en día hay grupos para casi todo. Hay clubes de esquí, de fotografía, de solteros, de padres sin pareja, de católicos divorciados y separados, y de gente interesada en la arquitectura celta del siglo décimo. Si tienes una adicción identificable, como alcoholismo o consumismo compulsivo, hay grupos gratuitos de autoayuda en prácticamente todas las ciudades de Estados Unidos. La moraleja es simple: tómate de la mano, sal y hazlo.

Si el temor a resultar lastimado te impide hacer algo de lo mencionado, consíguete un grupo de terapia. Un buen grupo encabezado por un terapeuta competente es probablemente el lugar más seguro para aprender habilidades sociales, si tus necesidades y problemas son apropiadas para ese grupo. Si no eres candidato para una terapia de grupo debido a características particulares de tu situación, una terapia individual con un buen terapeuta es una excelente manera para ingresar gradualmente en el mundo social de los adultos. En nuestros grupos de terapia para hombres y mujeres hemos trabajado con algunas de las personas más finas, brillantes y competentes que hayamos conocido. Te sorprendería saber cuántas personas maravillosas han dirigido sus vidas por mejores caminos gracias a su participación en grupos.

Pobre papá

Fred Thompson ha estado casado con Helen por diecisiete años. Tienen tres hijos, de dieciséis, catorce y once años. Helen es en la pareja, la más estrucurada e intensa, y ha sufrido de manera intermitente una depresión leve durante muchos años. Tiene lapsos de irritabilidad que se tornan en ira con bastante regularidad. Fred es el más apacible de los dos e intenta equilibrar los lapsos negativos de Helen siendo especialmente flexible y amistoso con sus hijos. Nunca reprocha a Helen su comportamiento porque sabe que sólo la haría enojar más.

A veces, sin embargo, los accesos de Helen se vuelven tan dolorosos que Fred discute el problema con su hijo de dieciséis años, Alex. Una noche, mientras estaban alrededor de su fogata durante su excursión anual por las montañas, Fred le dijo a Alex: "A veces me siento muy frustrado y desalentado por el comportamiento de tu madre. Odio decirlo, pero hay momentos en que deseo no haberme casado". Alex escucha atento y con simpatía porque sabe muy bien de qué está hablando su papá. Atraviesa una amplia gama de sentimientos, pero prevalece el de cordialidad, cercanía e identificación con su padre. Se siente aliviado de que alguien ponga en palabras un problema que también le concierne. Se siente fuerte y maduro porque su padre le comparte estas reflexiones personales, en privado, de hombre a hombre. Se siente enojado con su mamá por hacer sus vidas miserables, pero culpable por escuchar a su papá hablar de ella a sus espaldas. En especial, se siente apesadumbrado por su papá, viendo que es buena persona y es tan difícil vivir con la mamá. En conjunto, es una experiencia emocional muy intensa para Alex, y Fred se siente aliviado por haberse desahogado con su hijo, en un ambiente tan especial para ellos.

¿Cuál es el problema?

Probablemente ya hayas identificado lo que pasa. El problema es muy similar al de los ejemplos anteriores. Fred está utilizando a Alex y éste, debido a que se siente bien en un nivel, parece seducido. Además, como la conducta de la mamá afecta directamente a Alex, tiene un significado especial. Pero ponte en los zapatos de Alex sólo treinta segundos. ¿Cómo te sentirías si tu padre te dijera que hay momentos en que desearía no haberse casado con tu madre? Estás entre la espada y la pared. Te sientes en conflicto. Incluso puedes sentir un agujero en el estómago, tener problemas de ansiedad y sentir mucha culpabilidad. Simplemente por escuchar a papá, estás traicionando de alguna manera a mamá. Es un cuadro bastante doloroso.

Pero, ¿qué hay si tienes 27 años cuando esto comienza a suceder? Con un par de excepciones específicas, el problema persiste, por las mismas razones. Estás atrapado y resulta desagradable. Los únicos casos en que esto podría justificarse es si la mamá estuviera incapacitada, digamos, por la enfermedad de Alzheimer, o si se negara a enfrentar cierto comportamiento grave de autodestrucción, como conducir en estado de ebriedad o ser suicida. En cualquier otro caso no es apropiado utilizar a los hijos de esta manera, pues el vínculo que crea es demasiado intenso y les genera toda clase de problemas emocionales y de intimidad en la edad adulta.

Qué hacer

Padres e hijos deben tener una frontera clara entre ellos. Esto significa que hay ciertas cosas que los padres deben hacer con su pareja o con otros adultos, no con niños. Fred Thompson hace frente a una situación desafiante: la mujer que ama se enoja a menudo y él pasa un mal rato lidiando con ella. Rara vez toma la iniciativa por miedo de incitar aún más esa ira. Así, ha seguido la estrategia de la menor resistencia, que de manera inconsciente considera la mejor. Decide ser "agradable", y al involucrar a sus hijos inadvertidamente los hace tomar partido por el simple hecho de escuchar sus quejas acerca de mamá.

Claramente, Fred necesita decir: "Dejaré de poner a mis hijos entre la espada y la pared hablando con ellos sobre mamá. Encontraré a otros adultos fuera de mi familia inmediata para compartir mis problemas si es necesario, y conseguiré ayuda para trabajar directamente con Helen en nuevas maneras de consolidar nuestro matrimonio". Si toma esta estrategia, el camino será un tanto abrupto, por lo menos al principio. Probablemente deberá enfrentar aquello que lo asusta de asumir responsabilidades, combatirlo y practicar nuevas maneras de contribuir a la fortaleza de su matrimonio. Y sólo para asegurarnos de que estamos en la misma longitud de onda: si eres de los que ven los problemas sólo en blanco y negro y no en tecnicolor, recuerda que hay innumerables posibilidades entre un "todo sobre ruedas" y el divorcio.

Los doce pasos

Susan y Tom son una pareja de alcohólicos en recuperación que crecieron en familias disfuncionales. Susan sufrió agresión física en forma regular de niña; Tom fue criticado sin piedad por sus padres mientras crecía. Ambos se incorporaron al tratamiento contra la dependencia de sustancias aproximadamente al mismo tiempo, y han estado sobrios por dos años. Como parte de su trabajo en la terapia han examinado el tema del abuso en su niñez y han aprendido a separar lo que les sucedió en su niñez de lo que pueden hacer como adultos en la actualidad.

Debido a que son bastante novatos en todo esto y a que están comenzando a ver cuánto los afectó su niñez, les preocupa que sus hijos sufran por el dolor presente en la familia. Con la esperanza de evitar este dolor intergeneracional, comparten con sus niños buena parte de lo que están aprendiendo sobre sus propias vidas. Sin incluso preguntar, sus hijos se han vuelto expertos en la historia emocional de sus padres. También han aprendido cómo trabajan los programas de doce pasos, los peligros del abuso de sustancias y cómo reconocer la codependencia. Incluso hablan sobre estos temas entre ellos, y sus padres sienten que han hecho un buen trabajo.

¿Cuál es el problema?

En primer lugar, no es necesario tanto detalle. Los hijos no quieren ni necesitan saber tanto. En segundo lugar, al compartir todos esos detalles con tanta frecuencia, Susan y Tom están transmitiendo su ansiedad a sus hijos, lo cual los pone en mayor riesgo de adquirir adicciones más adelante. Tercero, al hablar de la vida en vez de concretarse a vivirla, no están enseñando a sus hijos una intimidad sana. Sería más provechoso que simplemente vivieran y disfrutaran su sobriedad cada vez más. Cuarto, es una violación de la frontera entre generaciones que los padres compartan con los hijos demasiados detalles de su vida a una edad muy temprana. Quinto, sermonear a nuestros hijos con estas cosas sólo los aleja, lo que también los predispone para problemas más adelante. Cuando necesiten alguien a quien contar sus problemas, será poco probable que vayan con Tom y Susan debido a todos sus sermones.

¿Qué hacer?

Irse al otro extremo no es la respuesta. Ocultar todo a nuestros hijos no ayuda. Si Tom y Susan nunca beben alcohol, ¿qué deben decir si sus hijos preguntan acerca de él? Pueden decir: "Ahora estamos en recuperación, así que no bebemos. Estaba fuera de nuestro alcance manejarlo, así que dejamos de beber y comenzamos a ir a las reuniones de AA. Ahora nos sentimos mucho mejor". Así de simple. Tengan una poca de fe. No proyecten su ansiedad sobre sus hijos. Ellos tendrán suficiente con la propia. La manera de proceder es ser práctico, hacer su mejor esfuerzo para permanecer sobrios y estar preparados para responder las preguntas de sus hijos si eventualmente las hacen. Y ellos probablemente lo harán si no los has alejado con tus sermones.

Recuerda que nuestros hijos no son nosotros. Son gente aparte. No estarán ni de lejos interesados en tus problemas como tú. Cuando les interesen, si has sido abierto y afable, preguntarán. Pero puede que esto no ocurra hasta que tengan veinte, treinta o más años. Mientras tanto, relájate, tómate un delicioso vaso de agua de limón con hielo y mira la puesta del sol. La vida es maravillosa, y si la vida es maravillosa, tus hijos estarán bien. Después de todo, ellos aprenden lo que ven, no lo que les dices.

8

No dar a tu hijo una estructura

Breve lección sobre estructura

Sabemos por el trabajo de personas como Jean Piaget, Erik Erikson, Jerome Bruner, Jane Loevinger y muchos otros, que los niños adquieren estructura interna y disciplina al experimentar una estructura externa. La secuencia es muy simple. Estructura externa primero. El niño gradualmente internaliza esa estructura externa. Entonces se forma la estructura interna. Es tan fácil como 1-2-3.

Pero eso no es todo. La estructura interna se adquiere en una secuencia identificable y este hecho no ha pasado inadvertido en el crítico campo del control de impulsos. Así es como trabaja. Dos psicolingüistas rusos, Luria y Vygotsky, pasaron años estudiando cómo se desarrolla el discurso interno de los niños y cómo éstos lo utilizan eventualmente para controlar su propio comportamiento. David McNeill escribió sobre su teoría:

> El control es cuestión de seguir instrucciones, externas o internas. El control de uno mismo o interno depende del desarrollo del discurso interno, y el discurso interno a su vez se deriva del discurso socializado. El autocontrol, por tanto, es precedido genéticamente por el control externo. (p. 1128)

Esto es bastante fácil de entender. Los padres dan instrucciones a los niños, por ejemplo: "Pon el juguete en la caja" o "Mira los coches antes de cruzar la calle". Los niños oyen estas tentativas de proporcionar estructura y dirección; las escuchan varias veces, y eventualmente se dan estas instrucciones a sí mismos. ¡Listo! ¡Los niños pueden controlar su propio comportamiento hablando consigo mismos!

Entonces vino el psicólogo Lorenzo Kohlberg, de Harvard, quien identificó cuatro etapas de desarrollo en el discurso privado de los niños. En la primera etapa, el discurso privado no tiene función de control: consiste simplemente en ruidos animales, juegos con las palabras, sonidos repetidos y así sucesivamente. Tú conoces esos sonidos. Tu pequeño está sentado en el piso jugando con un bloque de madera que finge que es un aeroplano. Hace ruidos de aeroplano. Te desternillas de risa y comentas lo lindo que es. Él es tuyo, después de todo. Lo hiciste. Pero, por supuesto, en términos del control del comportamiento mediante el lenguaje no hay nada. Durante esta etapa, el lenguaje de los niños no controla su comportamiento. Sólo está practicando efectos sonoros para su juego.

En la etapa dos, los niños hablan en voz alta pero apenas señalan objetos o describen lo que están haciendo, por ejemplo: "¡Estoy saltando arriba y abajo! ¡Estoy saltando arriba y abajo!"

En la etapa tres los niños hablan en voz alta pero su discurso definitivamente tiene una función reguladora. Es una fase crucial en el desarrollo de los niños, y es, esperamos, bienvenida con emoción y entusiasmo por los padres. Mientras miras y escuchas a tus niños usando esta clase de discurso, debes estar consciente de que estás atestiguando uno de los milagros del desarrollo humano: tus hijos están empezando a regular su comportamiento por medio del lenguaje. Es el principio de algo trascendental. Observarás a tus niños decir cosas como ésta en voz alta, pero a sí mismos: "Tengo que poner este bloque aquí porque se va a caer si lo pongo allí. Sí. Muy bien. Ahora puedo tomar otro bloque y ponerlo encima de éste. Bien. Ya está pareciendo una casa."

En la etapa cuatro los niños producen los llamados murmullos inaudibles. En esta fase sabemos que hablan consigo mismos, internamente, porque sus labios se mueven y dicen cosa muy quedas que no entendemos cabalmente.

Si piensas al respecto, la secuencia mencionada tiene mucho sentido. Si no puedes imaginar lo que ocurre en cada una de estas etapas, recuerda que los adultos también pasamos por los cuatro tipos de discurso. Es sólo que usamos mucho más que un niño el diálogo de la etapa cuatro. Obsérvate la próxima vez que te enfrentes a un problema difícil. Nota que te hablas en voz baja (etapa cuatro) y que, ocasionalmente, en especial si el problema es muy difícil, puedes pillarte hablando en voz alta (etapa tres). También puedes imaginar que esta secuencia de cuatro fases nos ofrece un manual muy concreto para ayudar a la gente a controlarse con base en la manera en que los niños lo aprenden normalmente.

Volveremos a esto en un momento, pero por ahora sólo indicaremos que a principios de los años setenta un joven psicólogo de nombre Donald Meichenbaum leyó sobre estas investigaciones y se dio cuenta de que estas ideas podrían ayudar a que los niños impulsivos se volvieran más reflexivos. En los años setenta muchas personas, incluyendo a uno de los autores de este libro, estudiaban el tema de la reflexividad y la impulsividad en los niños; la aplicación de Meichenbaum de los descubrimientos psicolingüísticos de Luria, Vygotsky y Kohlberg se consideró absolutamente elegante y brillante a la vez.

Yippee-ki-ay (improperio suprimido)

Si todavía te estás preguntando por qué creemos que el desarrollo del discurso privado de los niños es tan trascendente, déjanos utilizar un ejemplo práctico y llamativo. Imagina a un adulto precipitándose por la carretera a cien kilómetros por hora. Es medianoche. El tráfico finalmente ha cedido un poco. Repentinamente, un Porsche rojo aparece de la nada y se le cierra —lo que lo hace aterrarse por una fracción de segundo— para después perderse de nuevo en la carretera. Muchas personas que tienen este tipo de experiencias jurarían sobre una pila de biblias que la única emoción que sintieron en ese momento fue la ira. Pero apostamos cada centavo que tenemos que cuando esto sucede, en la autopista o en cualquier otro lugar, la primera emoción que todo ser humano siente es miedo. En este sentido, todos fuimos cortados con la misma tijera.

Así pues, primero sientes miedo. ¿Cómo sabes? Presta atención a tu cuerpo. Cuando, por una fracción de segundo, frenas en la autopista y estás cerca de un accidente, notarás que se incrementa el ritmo cardíaco y la presión arterial, tu respiración se hace más rápida y superficial, y si estuvieran practicándote un electroencefalograma (EEG) podríamos ver tus ondas cerebrales chillando. Si tuviéramos una medida de la respuesta galvánica de tu piel (GSR) también mostraría el miedo. Todo ocurre en el primer instante. Luego, en muchas personas surge la rabia como una tempestad causada por *El Niño* en la costa del Pacífico. En otra fracción de segundo, este supuesto adulto oprime el acelerador hasta el piso, aprieta los dientes, hace una seña obscena con la mano, se recarga en la bocina, apunta directo al Porsche y busca el arma en la guantera.

Grita "Yippee-ki-ay" (improperio suprimido) justo como Bruce Willis en *Duro de matar*, y comienza a disparar. Ya está. Otro triste caso de violencia en la autopista. Excepto por una cosa. Ésta es una persona común. Es el tipo de la casa de junto. Tu profesor de la universidad. Tu jefe. Tu empleado más valioso. Tu hermano. Tu marido. Tu padre. Y ahora estará en prisión por largo, largo tiempo. Todo porque olvidó o nunca supo utilizar su discurso interno para controlar su comportamiento. ¿Ves por qué es tan importante hablar contigo mismo?

Sólo en caso de que todavía no estés convencido, esto es lo que debió ocurrir. Pon mucha atención. Puede salvar tu vida y la de tu familia algún día.

1. El Porsche le corta el paso.
2. Él siente miedo.
3. La cólera lo invade.
4. Se dice a sí mismo: "Desiste. Desiste. Quita el pie del acelerador. Sigue tranquilo. No lo hagas. Quizá la esposa de ese tipo está muriendo en la sala de urgencias, y él está intentando llegar a su lado. Desiste. Relájate. Respira. Calma. Quédate tranquilo".
5. Él conduce a su hogar, se desliza en la cama con su esposa, la abraza, dice una oración de gratitud porque él y su amada están vivos y bien, y después duerme apaciblemente.

No todos tienen problemas para controlar sus impulsos en la autopista, por supuesto. Algunas personas se enfurecen con sus empleados, o con sus esposos e hijos. Algunos se enfurecen contra los funcionarios en las competencias deportivas de sus hijos, lo cual, al parecer, es ya un problema nacional que merece un segmento especial *20/20* en las noticias. Algunos se enfurecen contra los vendedores de boletos de líneas aéreas, los dependientes de tiendas departamentales, o contra sus vecinos. Y el control de los impulsos no siempre se refiere a la cólera. Si tiendes a sacar conclusiones apresuradas, tienes dificultades constantes para solucionar problemas o pierdes la proporción de las cosas, esta secuencia adaptada del trabajo de Meichenbaum será muy eficaz.

Control de impulsos: los malvaviscos de Mischel y el diálogo interno de Meichenbaum

Es triste encontrar a individuos brillantes que carecen de inteligencia emocional. También es triste que nuestra cultura sobrevalore en tal medida la inteligencia académica que cuando una persona, en la madurez, se da cuenta de que carece de inteligencia emocional, le es mucho más arduo adquirirla.

Pero volvamos con Walter Mischel de Stanford y su experimento para probar la capacidad de niños de cuatro años para retrasar la satisfacción. Si deseamos criar a niños felices, competentes, debemos asegurarnos de que desarrollen un poco de inteligencia emocional. Uno de los componentes clave de la inteligencia emocional es la capacidad para demorar la satisfacción. Pero ésta depende mucho del grado hasta el cual un niño ha desarrollado una estructura interna y el control verbal de su propio comportamiento. Hay dos maneras en que los niños adquieren estructura interna: *1)* cuando sus padres son lo bastante maduros para proveerlos de estructura externa durante su crecimiento, y *2)* cuando alguien les enseña a desarrollar la estructura interna y a hacer un uso eficaz de *la plática con uno mismo*.

En su investigación inicial en los años setenta, Donald Meichenbaum descubrió que los niños aprendían a controlar y mejorar su desempeño en la solución de problemas al enseñarles
a utilizar con eficacia el diálogo con ellos mismos. Más aún:
descubrió que este entrenamiento era especialmente provechoso para niños impulsivos o diagnosticados con el trastorno de
déficit de atención con hiperactividad (TDAH). De acuerdo con
los resultados de Luria y Vygotsky, Meichenbaum elaboró un
procedimiento de entrenamiento que sigue la secuencia de desarrollo natural del discurso autorregulador. Él fue muy claro al
señalar que la manera en que padres y profesores suelen explicar las cosas a los niños es terriblemente ineficaz, no obstante
sus buenas intenciones. No es particularmente provechoso sermonear a los niños. No es útil decir a los hijos cómo pensar y
proceder.

Demuéstralo, no digas

Lo que funciona muy bien es demostrar en vez de hablar. En lo
relativo a la estructura interna y el control de impulsos, es bastante fácil una vez que le coges el modo. Los primeros estudios
de Meichenbaum se concentraron en mejorar el desempeño de
los niños en un ejercicio desarrollado por Jerome Kagan, de Harvard, en el cual debían observar una figura modelo y encontrar
la figura idéntica entre varias alternativas debajo de ella. En esta
"prueba de emparejar las figuras familiares" (MFF, por sus siglas
en inglés), todas excepto una de las alternativas tienen cierto
detalle distinto de la original, como puedes ver en la interpretación de los autores en la figura 8.1.

FIGURA 8.1
COMPONENTES TÍPICOS DE LA PRUEBA DE HACER
COINCIDIR FIGURAS PARECIDAS

La mayoría hemos realizado ejercicios como éste alguna vez y queda claro que la mejor manera de enfrentar el problema es elegir una característica de la figura modelo y compararla sistemáticamente con cada una de las alternativas, eliminándolas conforme avanzas, hasta que queda la respuesta correcta. Como descubrió el profesor Kagan en 1966, cerca de dos tercios de nosotros enfrentamos esta clase de problema de una de estas dos maneras: *1)* nos tomamos nuestro tiempo, lo hacemos sistemáticamente y cometemos pocos errores, o *2)* lo acometemos caóticamente y cometemos muchos errores. A los primeros se les denomina reflexivos; a los segundos, impulsivos.

A continuación describimos cómo Meichenbaum ayudó a esos pequeños impulsivos a mejorar mucho en esta tarea. Primero modeló la estrategia eficaz hablando en voz alta a medida que solucionaba el problema: "De acuerdo, déjame ver. Pienso que la mejor manera será comenzar con la cabeza del caballo, y entonces miraré cada una de las alternativas, una a la vez, y cuando encuentre una que no coincida, pondré uno de mis dedos en ella. De esa manera no tendré que perder tiempo en mirar ésa nunca más. Sí. De acuerdo. Tómate tu tiempo. ¡Uf!, me faltó aquélla. Eso es. Sólo ve un poco más despacio. Bien. Eso es. Lo estoy haciendo muy bien. Esto es divertido. Ve con calma. No te pongas nervioso. Ahora, tomaré la siguiente característica y la compararé". Pararemos aquí, pero ten presente que Meichenbaum no lo hizo. Si lo estuvieras haciendo en realidad, debes modelar el problema por completo desde el comienzo hasta el final. Es importante tomar esa parte seriamente.

Después, pidió al niño que resolviera uno de los problemas y que lo hiciera hablando consigo mismo en voz alta. La práctica hace al maestro y, por supuesto, ya que los niños primero utilizan el discurso manifiesto para controlar su comportamiento, tiene sentido hacer que primero hablen en voz alta. Después pidió al niño resolver otro problema, pero esta vez debía hablar consigo mismo en voz baja, de modo que Meichenbaum apenas pudiera oírlo. Finalmente mandó al niño a que solucionara uno de los problemas hablando consigo mismo en silencio. *¡Voila!* Es un procedimiento magnífico de entrenamiento. Los resultados fueron impresionantes. Como resultado del entrenamiento, los niños impulsivos se desempeñaron casi tan bien como los reflexivos, mientras que el grupo de control no mejoró en lo absoluto.

¿Capitán o tripulación?

Ahora ya sabes cómo aprenden los niños a utilizar su discurso interno para controlar y regular su comportamiento. El otro requisito está en la constancia de los padres para fijar y hacer cumplir las reglas. Según nuestra experiencia como padres y psicólogos, es mucho más eficaz establecer pocas reglas que se hagan cumplir de manera sistemática, que instituir muchas reglas que se hagan cumplir de modo caótico. De acuerdo con nuestras discusiones sobre el discurso interno y el control social externo, probablemente está claro que el efecto acumulativo de los padres que tienen toneladas de reglas sin hacerlas cumplir puede ser muy grave. La inconstancia rampante impide el desarrollo de esa estructura interna que necesitamos para ser seres humanos civilizados. Los problemas del control de impulsos se han convertido en uno de los principales problemas de salud mental en Estados Unidos durante el último decenio.

¿Cómo podemos esperar que nuestros hijos tengan estructura interna, autodisciplina y habilidades de autorregulación si nosotros no las tenemos? Es muy triste mirar a niños que viven en estas circunstancias. El sistema se ha deteriorado tanto que la familia está constantemente en un estado cercano a la angustia y el caos emocional. Los padres creen que sus hijos son malos. Los niños se vuelven locos y no pueden imaginar por qué decepcionan a todos. Todos son desdichados y nadie está navegando con un timón intacto. ¿Quién está al mando de la embarcación, los capitanes o la tripulación?

¿Te has preguntado alguna vez por qué es tan común que los padres lleven a sus hijos a terapia, y el terapeuta pida a los padres que tomen terapia sin los niños presentes? Si los padres no son los capitanes de la nave, la tripulación estará en un estado de motín emocional. Un montón de reglas triviales y poca aplicación de ellas es síntoma de algo. Es una señal, una muestra, un indicador, un foco rojo, la punta de un *iceberg*, que clama: "¡Algo está mal!" La parte más triste de este panorama es ver a los padres enojados con sus hijos a quienes consideran pequeños monstruos, cuando éstos sólo están respondiendo a un sistema que ha sido caótico por años y años.

Las estructuras en que nos criamos son las que internalizamos. Si creces en cierta clase de familia estadounidense puedes aprender que, hagas lo que hagas, podrás contratar a un abogado y salirte con la tuya. También puedes aprender que interponer una demanda es una manera muy buena de lidiar con los reveses diarios a que nos enfrentamos todos los seres humanos. Si creces en Inglaterra o Irlanda, es mucho menos probable que aprendas esto, y quizá más probable que aprendas a ser respetuoso con otros. Todo depende. Si tus padres te dejaron proferir palabrotas, hablar a sus espaldas y ser grosero con ellos —si había demasiada familiaridad entre ellos y tú— puedes crecer con muchas dificultades para controlar tus impulsos cuando, por ejemplo, estás hablando con tu jefe. Sin una estructura interna que diga: "Comunícate con tus superiores de manera respetuosa", puede que te despidan de un empleo tras otro, y que siempre te sientas "agraviado", "malinterpretado" y "juzgado injustamente". Es triste cuando oímos a alguien decirnos que ha sido juzgado de manera injusta cuando, de hecho, se ha comportado de modo muy inapropiado.

Empatía no es lo mismo que simpatía. Los padres empáticos pueden reconocer que dar todo a sus niños y dejarlos escaparse de sus responsabilidades los dañaría. Y por eso, a pesar de sus ocasionales punzadas de culpabilidad, los padres maduros valoran la estructura y ayudan a sus niños a crear orden del caos, tanto en el hogar como en su interior, por medio de sus propias vidas emocionales.

Nuestras recomendaciones

Hay dos amplias categorías para discutir aquí. Una es cómo ayudar a tus hijos a desarrollar el autocontrol —control de impulsos y aplazamiento de la satisfacción— mediante el discurso interno, y el otro es cómo crear un hogar con suficiente estructura para que los hijos la valoren, pero no tanta que la odien y rechacen del todo.

Autocontrol

Según se esbozó antes, Donald Meichenbaum ha demostrado de modo bastante concluyente que la mejor manera de enseñar consiste en: *1)* tener autodominio tú mismo y modelarlo para tus hijos, y *2)* enseñarlo directamente usando el método que se deriva de su investigación. Este método es, a propósito, la manera en que muchos padres excelentes efectúan ya su enseñanza. No sermonees a tus hijos ni les propongas una estrategia. Toma la estrategia que *tú* utilizas internamente y exprésala, en voz alta, mientras realizas la tarea que estás intentando enseñar. Si te sientes incómodo o torpe haciendo esto al principio, practícalo con tu cónyuge, con un amigo o a solas frente al espejo. No dejes que la vergüenza te detenga. Esta enseñanza ayudará a tus hijos a crecer con una vida emocional saludable.

Te damos otro ejemplo. Supón que quieres enseñar a tu hija la manera de resolver los problemas que surgen en la interacción social, pero no quieres solucionar el problema específico que tiene ahora. Eso sería infantilizarla, y no aprendería a utilizar esta habilidad en otras situaciones. Desecha inmediatamente la idea de darle consejos. En vez de eso, tú y tu cónyuge hagan una pequeña dramatización. Las declaraciones en cursiva son lo que cada persona pudiera pensar en la situación real, pero durante la dramatización cada persona las dice en voz alta de modo que el niño pueda ver y oír su diálogo interno. Elegimos el siguiente ejemplo porque, aunque parece tonto pelear por eso, es la clase de cosas por las que la gente pelea a diario. Si te parece demasiado insulso, crea un ejemplo propio.

Frank: *Creo que ella tomó prestada mi pluma preferida y olvidó devolverla. No quiero que se ponga a la defensiva, pero necesito saber si ella sabe dónde está mi pluma. Éste es un problema constante en nuestra relación: ella cambia de lugar mis pertenencias personales. Le preguntaré en el tono más neutral que pueda:* Susan, ¿has visto mi pluma preferida? No puedo encontrarla.

Susan: *¡Cielos! Creo que la utilicé ayer cuando tenía prisa. Él no parece enojado. Probablemente lo mejor es confesarlo. Le diré que no fue a propósito, pero que estoy dispuesta a subsanar mi error, y dejar de hacer lo que estoy haciendo para ayudarlo a buscar.* Oh... sí... Tenía una prisa terrible ayer cuando la tomé para escribir una nota. Estoy realmente apenada. La buscaré ahora mismo.

Frank: *Bueno, no tenemos que pelear por lo que sucedió. Es amable de su parte hacer todo a un lado para buscarla, pero está ocupada. Quizá basta que me indique por dónde dejó la pluma.* Oh, bueno. Pensé que la había dejado en la tienda de abarrotes cuando hice un cheque. No dejes lo que estás haciendo, sólo dime, ¿tienes idea de dónde puede estar?

Susan: Déjame pensar por un segundo. Me dirigía hacia la cochera cuando sonó el teléfono. Era el doctor que llamaba para cambiar la cita de Tim. Escribí una nota rápidamente y entonces... Espera un minuto... Tenía mi monedero conmigo. Déjame ver... *Creo que ahí es dónde está. Sería fabuloso si estuviera aquí.* No. No está aquí. Oh, querido. Estoy realmente apenada.

Frank: *Sus disculpas parecen sinceras, y yo incurro en equivocaciones así cuando tengo prisa. Quizá lo mejor es que lo dejemos en paz por ahora. No me perjudicará dejar algo temporalmente y tener fe en que después aparecerá.* Está bien. Estoy seguro de que aparecerá. No perdamos más tiempo ahora.

Susan: *Sí, eso fue amable de su parte.* Oh, gracias, Frank. Cenemos todos juntos y luego tú y yo podemos acurrucarnos junto al fuego para ver *60 minutos.*

Frank: *Eso suena realmente bien.* ¡Me parece un buen plan!

Por supuesto, no solamente será divertido para tu hija mirar la dramatización; es también una lección inestimable de cómo resolver conflictos de dentro hacia fuera. Los hijos no olvidan las lecciones que aprenden de esta manera porque son divertidas, reales, emocionalmente complejas, provechosas y tienen un contenido emocional sano.

Estructura y reglas

Cuando un sistema está en caos puedes entrar en él por casi cualquier puerta y si te centras en realizar un cambio pequeño y persistes en él a toda costa, calmará eventualmente el caos y permitirá que emerja más estructura. Si tu familia está fuera de control, si cada vez hay más reglas, más regaños, menos acatamiento de tus hijos, más dolores de cabeza y más exabruptos emocionales, es momento de un cambio. Ve a un sitio tranquilo y reflexiona acerca de todas tus reglas, disposiciones y expectativas, y de las de tu pareja o cónyuge, y escríbelas en una hoja de papel.

Tal vez descubras que tienes tantas reglas mojigatas que resulta embarazoso, pero asegúrate incluir hasta la última de ellas. La intención es averiguar si el sistema tiene toneladas de reglas, muchas de ellas sobre pequeñeces y tonterías, y si ninguna se hace cumplir con mucha constancia. Cuando acabes, revisa el papel con tu pareja y ve qué sientes. ¿Vergüenza? ¿Miedo debido al caos? ¿Enojo porque los hijos no cumplen tus disposiciones? De acuerdo. Guarda el papel en un lugar seguro y ve a hacer otra cosa durante el resto del día.

Después de por lo menos 24 horas, toma el papel otra vez y escoge *una* regla de la lista. Puede ser una pequeña, la más fácil. Elige una con la que sepas que puedes tener éxito. Esto puede asustarte al principio. "Pero, ¿qué hay de las otras?", preguntarás. "Paciencia", respondemos. Tu pareja y tú deben convenir en que ésa es la única regla en la que ambos se van a centrar las próximas *semanas;* deben estar de acuerdo en que van a dejar de lado las otras, por ahora. No van a hablar más sobre ellas a sus hijos. No más regaños, no más sermones ni amenazas. Nada de eso ha sido eficaz en el pasado y, además, si deseas recuperar tu poder en el sistema tendrás que hacer borrón y cuenta nueva, por así decirlo, antes de poder ejercer influencia otra vez. En otras palabras, ellos no te escuchan cuando les pides que retiren sus zapatos del recibidor, así que deja de hacerlo por algunas semanas. El silencio será mucho más ruidoso que el regaño. ¿Quién sabe qué pueden hacer por iniciativa propia?

Después, diseña un programa de modificación del comportamiento de los hijos (describimos los detalles de este proceso en el capítulo 10) respecto a una regla de la lista. Si se trata de poner sus propios platos en el lavaplatos después de cada uso para que nunca haya platos en el fregadero o por toda la casa, crea un programa sobre eso. Define con exactitud plazos y límites de tiempo. ¿Cuánto tiempo puede un plato "andar por ahí" antes de que se aplique una sanción al responsable? ¿Cinco minutos? ¿Diez minutos? ¿Antes de que el niño deje el área para ir a su cuarto? Establece sanciones que creas que funcionarán. Utiliza recompensas cuando sea posible. Por ejemplo, si tu hijo adolescente mete los platos en el lavaplatos 80 por ciento de las veces en un período de siete días, él obtiene algo. Asimismo, es justo establecer una consecuencia negativa como perder un privilegio si su desempeño cae debajo de 80 por ciento.

Así de simple. Elige una regla, no varias. Acuerda una manera de hacerla cumplir. Incluye un estímulo para el buen comportamiento. *¡Y entonces persevera!* Si eres una de esas personas convencidas de que la lucha es mala, probablemente te espera mucho trabajo, así que ponte en marcha. Puedes hacerlo. La lucha es buena.

Estructura o caos: es tu elección

Probablemente has deducido que sin estructura un niño se encuentra en medio del desierto y sin brújula. Desafortunadamente no es necesario buscar muy lejos o muy profundamente para comprobarlo. Sólo mira tu vecindario. En los años cincuenta, pocos niños suburbanos de clase media se habrían atrevido a forzar el buzón de un vecino. Es un crimen federal, y era impensable. Pero no hoy. Es una práctica muy común y nadie parece preocuparse mucho al respecto.

Cuando el adolescente estadounidense Michael Fax fue condenado en Singapur a recibir azotes por sus actos de vandalismo se produjo un alboroto aquí en Estados Unidos. Para algunos no fue una sorpresa y para otros fue motivo de conmoción la respuesta del estadounidense típico: "¡Azótenlo!" No pensaríamos hacerlo aquí, pero ciertamente estábamos listos para que ellos lo hicieran por nosotros. "¡Azótenlo!", gritaron algunos. "Pongan fin al vandalismo de una vez por todas." Lo triste es que los adultos carecemos de disciplina interna, de modo que inducimos a nuestros hijos a transgredir. Entonces dejamos que se salgan con la suya o los liberamos del castigo si los atrapan, y luego queremos que uno de ellos sea castigado brutalmente en otro país para no ser responsables de la brutalidad.

¿No sería mucho más amable y sano criar a nuestros hijos concienzudamente? Cuando la gente actúa concienzudamente, las cosas se resuelven con muchos menos problemas. ¿Qué ocurriría si imponemos algunas sanciones serias por dañar buzones? ¿Qué ocurriría si nuestros jueces aplicaran un poco más nuestras leyes en vez de compadecerse tanto de nuestros hijos? ¿Qué ocurriría si los padres impusiéramos límites, estructura y disciplina en casa, de modo que nuestros hijos llegaran a ser felices y productivos en vez de inquietos, resentidos y desdichados? ¿Realmente queremos que nuestros hijos sean así? No tiene que ser de esta manera. Cada día, cada uno de los días de nuestras vidas, es nuestra elección.

9

Esperar que tu hijo realice *tus* sueños

Cerca de una tragedia en la arena profesional

Una encuesta de Louis Harris realizada en 1998 entre estudiantes universitarios de la generación 2001 cuyos padres tenían empleo, preguntaba si "considerarían" seguir la misma carrera que cualquiera de sus padres. Un sustancial 62 por ciento respondió que no. Con eso en mente, imagina que tu hijo parece tener talento como artista. Él desea ir a la escuela de arte. Tú y tus parientes, desde dos generaciones antes por lo menos, son científicos, abogados y hombres de negocios: profesiones consideradas "serias". Desde el principio encaminas tiernamente a tu hijo en dirección de una de estas carreras. Nunca dices abiertamente que te importa mucho la carrera que elija. Te gustan las ilustraciones que hace en la escuela; notas que es talentoso y continúas animándolo a que desarrolle una amplia gama de intereses y habilidades mientras estudia. Ya que proviene de una familia brillante y exitosa, hace bien todo lo que aborda. Hasta ahora todo va bien.

En la preparatoria tu hijo comienza lentamente a inclinarse hacia el arte y el diseño. Continúa sobresaliendo en todo pero cada día es más claro que no está interesado en las leyes, la ciencia o los negocios. Tú, preocupado de que no sea capaz de sobrevivir si hace del arte su principal campo de estudio, y de que incluso, si eventualmente lo hace, los años de lucha y de penurias no valdrán la pena, comienzas a inducirlo cariñosamente hacia una de las profesiones "serias". Tienes una buena relación con tu hijo. Has hecho muchas cosas con él a lo largo de su trayectoria a la edad adulta. Él respeta tu opinión. Un día telefonea a casa y te dice que ha comenzado a tomar terapia con uno de los psicólogos del campus "para que lo ayude a resolver algunas cosas que le están causando algo de ansiedad".

Te pones un poco nervioso pero no lo reconoces como miedo. En lugar de eso, interpretas esos mensajes internos como una llamada a la acción. Quizás algo o alguien amenaza el bienestar de tu descendencia. Debes actuar. Llamas al centro de asesoramiento de la universidad. Ellos te dicen que sin el consentimiento de tu hijo no pueden confirmar si está recibiendo atención o no. Amenazas un poco con tus conocimientos y experiencia legales, teniendo cuidado de no gastar demasiado de tu acervo emocional intimidando indebidamente. Ellos no ceden. Exasperado, llamas a tu hijo, evitando mencionar que hablaste con el personal del centro de asesoramiento. Preguntas cómo está. Inquieres sobre las sesiones de terapia. Él dice que van muy bien. Suena animoso pero no está divulgando una cantidad excesiva de información. Terminas la llamada con un "Bueno, me alegra que las cosas vayan bien" y comienzas a pensar en tu siguiente movimiento.

¿Todo bien hasta ahora? No realmente. De hecho, si es tu caso, te advertimos que estás avanzando en una trayectoria potencialmente autodestructiva, y que cuanto más lejos llegues peor te irá. ¿Nuestro consejo? Da la vuelta. Busca orientación. Recoge tus cosas y regresa a casa. Cuando vuelvas a esa bifurcación en el camino, toma la otra ruta.

La otra bifurcación en el camino

Cada diez o veinte años alguien financia un estudio importante de gemelos en un esfuerzo por determinar el papel de la genética en el comportamiento humano. Estos estudios son hoy en día más complejos de lo que eran al principio. Observan a gemelos idénticos que crecieron juntos, a gemelos idénticos que fueron apartados uno del otro, a mellizos que crecieron juntos o aparte, otros hermanos criados juntos y aparte, y así sucesivamente. Entonces utilizan fórmulas estadísticas muy complejas para separar todas las fuentes diferentes de la variación entre estos grupos de gente distinta, con lo cual son capaces de eliminar la mayoría de las variantes debidas a factores ambientales. Esto deja a los científicos con una buena estimación sobre la función de la herencia en la transmisión de rasgos humanos como inteligencia y personalidad.

Uno de los mayores y más recientes de estos estudios de gemelos lo efectuó la Universidad de Minnesota y fue publicado en *Science* en 1990. Los resultados preliminares fueron asombrosos. Por años hemos sabido que la inteligencia tiene un coeficiente bastante alto de heredabilidad, por lo que ese resultado no fue un hallazgo tan grande frente al espectacular descubrimiento de que 43 por ciento de nuestra elección de profesión y 49 por ciento de nuestras preferencias religiosas están determinadas por la genética. Lo que resulta tan emocionante de estos hallazgos es que son muy delicados. Piensa en cómo la gente *realmente* tiende hacia una carrera o una manera de celebrar su espiritualidad. Si predomina tu hemisferio izquierdo y eres analítico, lógico y lineal, ¿no tendría sentido que no tendieras a las artes o al trabajo social? Y si predomina el derecho, eres muy intuitivo y tiendes a procesar cosas simultáneamente y no linealmente, ¿no tendría sentido que tendieras a la mística y la poesía en tus celebraciones espirituales?

¿Qué significa esto para los padres promedio? Significa que podemos empezar eligiendo la ruta menos transitada cuando tomamos esa bifurcación en el camino. Podemos regresar y releer la declaración de Jalil Gibran que afirma que nuestros hijos no nos pertenecen. Podemos telefonear a un psicólogo y pedir ayuda para modificar nuestra obsoleta creencia de que debemos moldear a los hijos a nuestra semejanza so pena de condenarlos a una vida de frustración y fracaso. Y entonces podemos celebrar muy aliviados, junto a los coros de ángeles que cantan en el cielo, que pudiera haber un artista en la familia por primera vez desde el siglo XVIII.

Tal vez ayudaría si describimos esta otra ruta un poco más. Tomar esta ruta significa que los padres deben ser más maduros de lo que solían ser. Requiere más profundidad emocional para un padre tomar esta trayectoria, y más fe. No estamos sugiriendo que la trayectoria que debieras tomar es la negligencia. Si tu hijo no tiene absolutamente ningún talento artístico pero ha sido incitado por un instructor equivocado, sin falta charla con tu hijo. Precisa tus preocupaciones. Sé discreto, afable, pero directo. Ésa es la manera.

Cuidar sin arrogancia

Reconocemos que la mayoría de los padres no tienen la intención de ser arrogantes cuando empujan a sus hijos hacia una carrera profesional, sin embargo en la mayoría de los casos es un error de arrogancia hacerlo. Sólo para confundirte, agregaremos que hay veces en las que hacerlo no es ser arrogante, y que hay veces en las que resulta muy necesario. Recuerda que "en los viejos tiempos" las opciones profesionales eran muy limitadas. Tus padres regenteaban una granja. Así era como todos sobrevivían. Era literalmente una cuestión de vida o muerte. Así que aprendiste a administrar una granja y gracias a ello sobreviviste. Tu padre era zapatero. Ustedes no eran mucho más que siervos. Eso fue en 1200 a.C. No había margen de maniobra. Te volviste zapatero y punto. Sobreviviste.

Los tiempos han cambiado, y junto con los cambios ha llegado una gama infinita de opciones, y la libertad. Pero la opción ilimitada genera creciente ansiedad, tanto en padres como en hijos. Si no voy a ser granjero, ¿qué voy a ser? Si no me gusta hacer zapatos, ¿qué haré para vivir y sostener a mi familia? Éstas son las preguntas que se hará cada familia occidental de un país industrializado en el siglo XXI. ¿Cómo podemos cuidar sin ser arrogantes? ¿Cómo ayudamos a nuestros hijos a pasar de la niñez a la edad adulta con una identidad clara? No es tan difícil como podrías pensar pero, para algunos, se requerirá primero un cambio importante en actitud y creencias. Las buenas noticias son que el desarrollo humano tiene algunos principios universales para ello. Todos los hijos deben cubrir ciertas tareas del desarrollo sin importar en qué cultura crecieron. Nuestro primer consejo es que encuentres una teoría de etapas, como la de Erik Erikson, que se basa en estos universales transculturales, y la aprendas, la estudies, la aprendas más, la memorices, la estudies otra vez, investigues y después lo hagas todo otra vez, hasta que la conozcas por dentro y por fuera.

Si bien eso puede parecer aburrido y una pérdida de tiempo, podemos asegurarte que te ahorrará miles de horas de angustia y confusión mientras crías a tus hijos. Un conjunto de etapas como las de Erikson es particularmente útil porque nos da mucho espacio para trabajar soluciones individuales a los problemas de la vida, más que decir que solamente hay una manera correcta de madurar. También nos ayuda a tratar problemas en los que estamos estancados en la vida. Por ejemplo, durante la etapa de formación de la identidad —entre los quince y los veintiocho años— nuestro trabajo es aclarar quiénes somos y qué deseamos ser, cómo deseamos vivir, qué nos gusta y qué no, quién nos gusta y quién no, y lo que creeremos, entre otros asuntos. Es también nuestra labor dejar el hogar y salir al mundo, pagando nuestro propio camino y construyendo nuestro propio sistema de ingresos. Una vez que sabes esto, es bastante fácil diagnosticar problemas. Si tu hijo de veinticinco años todavía vive en casa, no paga alquiler y todavía vive como un chico de secundaria, ambos tienen un problema. Si tu hija de dos años teme alejarse de tu lado, se aferra como enredadera y nunca dice "no", analiza lo que ocurre. Si tu hijo de dieciocho años no ha cuestionado nada que aprendió de niño, o de lo que le enseñaron a creer cuando niño, pudiera estar estancado.

Siempre que mencionamos esto en nuestras conferencias y seminarios hay una discusión con alguien que se opone a lo que decimos sobre la formación de la identidad, pero en casi cada caso la posición a la defensiva de la persona parece proceder del miedo de que pudo haber algo mal con su hijo o con los esfuerzos que hizo para criarlo. Si bien podemos entender el malestar de algunos padres, nos es difícil pensar en casos en que sea sano para un joven de veinticinco años seguir viviendo en casa de sus padres.

Con estas consideraciones en mente, en seguida mencionaremos algunos indicadores utilizados con éxito por los padres competentes que hemos conocido a lo largo de los años.

Ejemplos de crianza de hijos íntegros y competentes

El arte y diseño como campo de estudio

Tu hijo parece tener talento genuino como artista. Se desempeña bien en la escuela porque es brillante como tú. Has observado la transformación en su rostro cuando está ocupado, pensando o absorto en sus búsquedas artísticas. Tu corazón se enciende al pensar que está descubriendo lo que le significa estar vivo. Lo que más te emociona no es que habrá un artista en la familia, sino que tu hijo parece haberse fijado una meta: una determinada por sus genes y sus experiencias de la niñez. La emoción de mirarlo perseguir sus sueños es inmediata para ti porque tú has hecho lo mismo: sabes lo que es ir tras algo tan poco definido pero, en última instancia, tan atractivo y correcto. Has experimentado la emoción de encontrar tu propia identidad.

Cuando es tiempo de que entre en la universidad, se dirige a la oficina de orientación profesional del campus y cambia su campo de estudio al de arte y diseño. Está emocionado y un poco ansioso. El cambio siempre es un poco desconcertante, y nunca se sabe cómo reaccionarán las personas que amamos ante nuestras decisiones. Él se bombardea con una serie de preguntas: "¿Soy impulsivo? ¿Me olvido de algo? ¿Sólo estoy tomando la salida fácil? ¿Puedo realmente ganarme la vida haciendo esto? ¿Cómo me ajustaré a la estructura de mi familia cuando los demás están en carreras 'serias' y tradicionales? ¿Qué sucede si descubro dentro de cinco años que he tomado la decisión incorrecta y doy otro viraje en mi vida? ¿Pensarán todos que estoy loco?" Éstas son preguntas maravillosas. Eso es lo que hace la vida tan maravillosa, misteriosa, atractiva y digna de vivirse. Cuando un chico hace estas preguntas, está haciendo su trabajo de búsqueda de identidad.

Un estudiante de universidad puede perfectamente encontrar las respuestas a estas preguntas, pero sólo si su familia es capaz de apoyarlo contra viento y marea. Piensa en el mensaje que damos a nuestros chicos de la universidad cuando decimos: "Vemos que estás batallando con qué hacer cuando seas mayor. Eso nos gusta de ti. Sabemos que encontrarás lo que estás buscando. No podemos hacerlo por ti. Recuerda que no tienes que vivir la vida perfectamente y que la única manera de encontrar tu camino verdadero es cometiendo errores. Si hay cualquier manera razonable en que podamos ayudarte, dínoslo. Si no, ¡adelante!" El mensaje es: "Nos emociona verte madurar. Sabemos que puedes hacerlo. La lucha es buena. Eres competente. Es bueno tomar riesgos calculados. Te amaremos sin importar qué suceda. Nos gusta verte enfrentar la vida. Es bueno para el alma."

La intérprete de tuba

Tienes "esa charla" con tu hija de la escuela primaria. Ya sabes, sobre tocar un instrumento musical. Ella piensa al respecto, y después dice que lo hablará con el profesor de música. Algunos días después viene a casa y anuncia que desea tocar un instrumento musical.

—¿Qué has elegido, corazón? —preguntas.

—¡La tuba! —exclama— ¡Es estupenda! ¡Siempre he pensado que la tuba es estupenda! ¡Y mi profesor dijo que necesitaban un intérprete de tuba!

Tú no tienes nada contra la tuba. Sin la tuba, la banda o la orquesta carecería de energía y dirección, te dices a ti mismo. Otra parte de ti susurra: "Yo esperaba que escogiera el violín o el piano." Decides actuar con discreción y le dices que es una buena decisión. Descubres que el asunto todavía te está molestando dos días después. Pero eres buena madre y sabes que debes dejar a tu hija descubrir lo que es mejor para ella. Lo discutes con tu marido. Ambos convienen en que dos cosas podrían ocurrir. Ya sea que le tome gusto a la tuba y siga entusiasmada con ella durante la secundaria y la preparatoria, o que pierda el interés después de un año o dos y decida dejarla. Digamos que ocurre lo último. ¿Qué debes hacer? Bien, si tu hija ha establecido un patrón de iniciar cosas y dejarlas después de algunas semanas, debes intervenir y exigirle que continúe por lo menos hasta el final del año escolar. ¿Por qué? Así aprende que las decisiones tienen consecuencias, que los compromisos significan algo, con lo que ponderará sus decisiones con más cuidado en el futuro.

Si tu hija no tiene el patrón de echarse para atrás con sus compromisos, permítele que abandone la tuba después de un año o dos. ¿Qué se ganará con esto? ¿De todos modos habrá aprendido algo para entonces? Por supuesto. Habrá aprendido a leer música. Habrá aprendido cómo funciona una orquesta o una banda. Habrá aprendido a trabajar como parte de un equipo. Y habrá aprendido que después de cierta reflexión es aceptable cambiar de parecer, y que no será despreciada ni criticada por ello. ¿Te das cuenta? Incluso si deja el instrumento después de un año o dos, no habrá perdido nada y habrá ganado mucho. Ésa es vida. Así es como aprendemos sobre la vida. Y ésa es una buena paternidad en acción.

En el mundo hay multitud de intérpretes de tuba felices. Puedes verlos en orquestas sinfónicas y bandas alrededor del mundo. Puedes ver sonrisas en sus caras, la aureola de realización que los rodea, y la obvia satisfacción en sus ojos. Están haciendo lo que alienta sus almas.

El empresario

Tu hijo de diecisiete años sabe que esperan que consiga un trabajo de verano para ayudar a pagar el seguro de su coche, la gasolina, un pequeño porcentaje de su ropa y gastos imprevistos. El verano pasado trabajó para una empresa de limpieza de oficinas por el salario mínimo, y trabajó duro. Pero a él no le gustó, así que se juntó con un par de amigos para venderse como empresa de reparación de casas durante el verano. Cuando eras muchacho, trabajaste en la misma fábrica durante los tres años de la preparatoria y los primeros tres años de la universidad, abriéndote camino a un mejor puesto durante los dos últimos años con la compañía. Después de la universidad acudiste a ella e hiciste una solicitud para un puesto gerencial, que obtuviste de inmediato debido a tu largo historial de trabajo en ella. Has trabajado allí con mucho éxito toda tu vida. De hecho, eres su nuevo director general.

Como padre, puedes sentir cierta desconfianza hacia los planes de tu hijo de comenzar su negocio. Por un lado, aprecias la importancia de esta clase de espíritu emprendedor en la juventud. Demuestra ambición, empuje y la disposición de tomar riesgos. Por otra parte, tu trayectoria profesional, con tu compromiso constante y confiable con una compañía, así como los cheques predecibles y constantes que vienen con un puesto asalariado, pueden pesar más que el otro punto de vista. De hecho, puede preocuparte en secreto que los muchachos enfrenten cierta resistencia imprevista en sus esfuerzos de comercialización que los haga abandonar su plan y los haga terminar sin empleos de verano. Esto podría ser un desastre financiero y pudiera provocar angustia y tensión emocional en tu casa. Estos asuntos rara vez son tan predecibles.

¿Qué hacer? Si tu hijo tiene una larga historia de cosas que comienza y las deja pronto, hazle saber por todos los medios que no se ha ganado el derecho de ser empresario. Los hijos que no han sido bautizados con fuego, que no han pagado sus deudas con por lo menos un verano de empleo de cuarenta horas a la semana, probablemente deben hacerlo. Deben conseguir un trabajo regular si la probabilidad de que perseveren en su autoempleo es baja. Pero éste no es el caso de todos los muchachos. En nuestra opinión, no es un gran riesgo dejar que tu adolescente lo intente durante un verano. En el peor de los casos, él y sus amigos se partirán el lomo tratando que el negocio marche y descubrirán que es mucho más duro de lo que supusieron. Cuando los hijos juiciosos ven señales adversas, a menudo intentan mantener el negocio y toman un trabajo de tiempo parcial, aun si es con el salario mínimo, de modo que no lleguen con las manos vacías al final del verano.

Sí, es un riesgo. Pero nos preguntamos cuántos hombres y mujeres de negocios muy exitosos hubieran comenzado sus compañías de no haber recibido el apoyo y la guía de sus familias durante la adolescencia. Nuestros hijos necesitan descubrir para qué nacieron. Ser empresario requiere cierto tipo de personalidad. Algunas veces la gente anhela ser independiente porque tuvo una mala experiencia con un superior y "no desea trabajar para alguien otra vez", cuando de hecho no nacieron para el autoempleo. Simplemente necesitan plantearse cómo tratar con una mala gerencia y después continuar trabajando en el mundo corporativo. Pero otros prosperan en un mundo que funciona en gran medida por la motivación propia, y todo sería peor si no fuera por ellos. Antes de que intentes aplastar el entusiasmo de tu adolescente para comenzar una pequeña empresa, pregúntate con honestidad y valor si estás estorbando el camino de tu hijo, y el tuyo.

La agnóstica

Si aún no te has sentido desafiado por este capítulo, a ver qué te parece lo que sigue. Qué haces cuando tu hija de trece años viene a casa de su clase de confirmación y dice: "Realmente me agrada el pastor que nos enseña en la clase y me gusta hacer cosas con los otros chicos, pero, para ser honesta, no sé si creo en lo que dice la Biblia. Entiendo que puede no ser literal, pero incluso me pregunto si realmente hay un Dios o no." Tú puedes ver la sinceridad en sus ojos y oírla en su voz. Tu mente comienza a explorar tus bancos de memoria de alta velocidad y carpetas lógicas buscando una interpretación apropiada de la declaración de tu hija y una respuesta que no genere un conflicto. Notas que tu corazón se acelera y tu respiración para por un segundo.

"Hmmm", respondes en el tono de voz más neutral pero interesado que puedes adoptar. Y entonces la respuesta sale de ti y sientes un suspiro de relevación. Gracias a Dios por Erik Erikson, te dices antes de continuar con una respuesta verdaderamente provechosa: "Realmente me da gusto escuchar que estás lidiando con esta materia. Es lo que se supone que debes hacer a esta edad. Estoy orgulloso de ti." Apenas aparece un parpadeo de reconocimiento que surca el rostro de tu hija, pero lo que está pensando es: "¡Aleluya! ¡Siempre se siente bien oír eso!" Hay un momento de cómodo silencio y entonces hábilmente dirige la conversación en una nueva dirección: "A propósito, mamá, ¿qué piensas del proyecto de ley que está considerando el Congreso para la misión tripulada propuesta a Marte? Teníamos una discusión sobre él en clase hoy y no estoy segura de en qué lado de la discusión acabaré eventualmente." Tú sonríes con calidez y te dices a ti misma: "*Hemos* hecho un trabajo bastante bueno al educarla. Gracias por tu ayuda, Dios".

Déjalo

Una tarde, mientras veíamos cierto programa de entrevistas de política en la televisión, oímos que un hombre muy instruido del panel decía que estaba molesto porque mucha gente intentaba degradar a nuestros presidentes anteriores. Cuando el entrevistador le preguntó qué quería decir, el hombre dijo que se refería a la "mentira" que se había difundido de que Dwight Eisenhower tuvo un romance de muchos años con su conductora de auto durante la Segunda Guerra Mundial. El hombre explicó que la gente hacía esto para justificar el comportamiento semejante de políticos contemporáneos. De acuerdo, hay cierto comportamiento cuestionable entre los políticos contemporáneos, pero ¿eso nos da licencia de torcer un hecho histórico? Después de todo, Dwight Eisenhower *tuvo* un romance de muchos años con su conductora durante la Segunda Guerra Mundial. Es un hecho histórico.

Madurar es difícil, en parte porque requiere que nos quitemos nuestras anteojeras y eventualmente bajemos a la gente de los pedestales en los cuales los hemos colocado. El Holocausto sucedió, a pesar de lo que algunos racistas dedicados a odiar quieran hacernos creer. La investigación de Stanley Milgram sobre obediencia a la autoridad sugiere que podría suceder dondequiera, incluso aquí. La historia demuestra que ha ocurrido en todo el mundo; los "campos de la muerte" de Camboya son el ejemplo más reciente. Quienes viven según altos estándares morales no tienen que preocuparse de que sus hijos sean influidos indebidamente por otros, no tienen que fabricar su historia para apoyar su moralidad, y tampoco tienen que pregonar ni jactarse de sus altos estándares morales. Todo lo que tienen que hacer es vivir una vida moral. Realmente es así de simple. Si a las mentiras de una persona opones tus propias mentiras, ¿qué logras? La gente sólo pensará que eres deshonesto o ingenuo.

Recordamos cierta investigación impresionante de hace un par de décadas. Los investigadores se centraban no solamente en los valores de los padres, sino también en qué medida vivieron según esos valores. Luego preguntaron a los hijos en edades universitarias sus sentimientos sobre sus padres. Sin importar si sus padres eran liberales o conservadores, religiosos o ateos, halcones o palomas, si los padres vivían según sus valores y *hacían cosas* que demostraban compromiso, sus hijos sentían gran respeto por ellos. Si los padres sólo pregonaban sus valores y sus acciones eran contrarias a éstos, los hijos no sentían mucho respeto por ellos. Aun más importante: los hijos de las familias congruentes con sus valores adquirieron identidades y valores claros; en cambio, los hijos de las "familias de dientes para fuera" desarrollaron confusión e incertidumbre sobre sus propios valores. Algunos incluso se expresaron sin rodeos: "Mis padres eran unos farsantes".

Éstas son palabras duras, sin duda. Pero a veces lo duro es necesario. Es hipócrita decir a nuestros hijos que deben ser fuertes, lúcidos, constantes, juiciosos, comprometidos, cuando nosotros no somos así y cuando no estamos dispuestos a transmitirles mensajes claros con ese propósito. Los hijos aprenden lo que viven. Es triste ver a padres bien intencionados aferrarse a sus adolescentes, aterrorizados de que si los dejan ir un poco les harán daño. Es triste porque lo contrario es verdad. Los adolescentes tendrán una vida adulta plena si hacen la mayor parte del trabajo por su cuenta. Los padres que dejan ir gradualmente a sus hijos conforme éstos se acercan a la veintena de edad les transmiten un mensaje claro de que es bueno madurar.

Uno de los consejos más sabios que podemos dar a nuestros clientes conforme sus hijos se acercan a la edad adulta es: "Déjalo". Esto no significa que deben descuidarlos. Necesitan tener un toque de queda, cumplir tareas y rendir cuentas. Pero los padres deben dejarlos ir, lo cual no es siempre fácil y nos obliga a dar este consejo de vez en cuando. Si crees que tus hijos son de tu propiedad, este capítulo es para ti.

Ser un padre requiere mucha más flexibilidad que antes. El desafío es proporcionar suficiente estructura y dirección para que nuestros hijos crezcan con timones internos, pero no tanta estructura que no puedan madurar. Es un verdadero desafío. El desafío es bueno. Nos mantiene vivos.

Parte III: Hazlo

10

Si las ratas pueden hacerlo, tú puedes

Prioridades, prioridades, prioridades

En este capítulo te desafiaremos. En la última década ha habido una proliferación de libros y grabaciones elaborados para ayudarnos a lograr estados más altos de conciencia, nirvana y dicha. Ya que somos muchos los que estamos trabajando en esta parte de nosotros mismos, quisiéramos recordar a todos que construir una casa en un terreno fangoso, húmedo y arenoso en una ubicación absolutamente fantástica puede ser muy diferente a construir una en un lecho rocoso, incluso en una localización desafortunada. Los tres cochinitos pueden decirte más sobre esto si no entiendes la idea.

Resulta perturbador ver gente instruida e inteligente concentrada en esquemas magníficos para lograr la dicha, el nirvana y estados permanentemente alterados de conciencia, mientras sus hijos enloquecen: estos niños carecen de límites, de rumbo, están vacíos y esencialmente no tienen padres. No es que buscar la dicha sea incorrecto; es sólo que buscarla cuando nuestro hogar y familia no tienen orden refleja que nuestras prioridades están trastocadas.

Valoramos en particular libros como *The Shelter of Each Other: Rebuilding Our Families,* de Maria Pipher, y *The Intentional Family: How to Build Family Ties in Our Modern World,* de William Doherty. Estos psicólogos prácticos han asumido con valor la causa más mundana y, por tanto, más espiritual, escribiendo libros que nos imploran tomar con seriedad las cuestiones cotidianas otra vez. Y necesitamos hacerlo. Cuando nuestros hijos pueden ingresar a internet y participar en juegos de video de sesenta y cuatro bits con oponentes en la lejana Mongolia, conectados vía satélite, pero no pueden sostener una conversación afable con la familia o los amigos, lo que incluye el contacto visual y expresiones faciales y gestos apropiados, algo está mal. Cuando nuestros hijos saben cuánto cuesta un Jeep Grand Cherokee pero no tienen idea de cómo funciona una lavadora o una secadora, ni de cómo freír un huevo o cuidar un animal doméstico con suficiente constancia para que no muera de deshidratación o de hambre, algo está mal. Y, quizá lo peor de todo, cuando los hijos toman de rehenes a sus padres gimoteando, poniendo mala cara, con rabietas, regateos y otras manipulaciones, entonces seguramente es hora de un cambio.

Pero un cambio, ¿hacia qué? Oímos a padres preguntar: "¿Cómo puedo conseguir que mi hija sea ordenada con sus cosas? ¿Cómo puedo lograr que mi hijo pare de hacer rabietas? ¿Cómo hacer para que mi hijo de veintiséis años se mude a su propia casa? ¿Cómo puedo...? Sería preferible que comenzaran planteándose esta pregunta: ¿Cómo puedo adquirir disciplina interna para que mis hijos la aprendan de mí? Ser un padre competente o no ser un padre competente. Ésa es la cuestión.

En el mostrador de la tienda

Tu hijo de cuatro años gimotea, arruga su cara con contorsiones torturadas, hace muecas, patea y te pega débilmente cuando le dices que no, no puede comer caramelos en el mostrador de la tienda. Éste se ha convertido en un problema tan terrible para ti que temes ir de compras. Fantaseas que lo dejas en el coche, pero eso sería negligencia. Sueñas con marcharte lejos a una isla tropical remota, dejando que tu marido críe a tus hijos hasta que hayan pasado la adolescencia y estén fuera del nido. En el pasado, intentaste ignorarlo, pero las rabietas aumentan y se vuelven tan intensas que temes se lastime de alguna manera. Puede ponerse azul y desmayarse. *Tú*, por otra parte, estás tan desconcertada que te pones colorada, y luego toda la sangre sale deprisa de tu cabeza dejándote más que pálida. No es un aspecto agradable. Y está destruyendo a tu hijo.

¿Qué puedes hacer? Si regresas a tu libro de psicología de la preparatoria o del primer año de la universidad encontrarás cierto trabajo fascinante del algunas veces calumniado B. F. Skinner, cuyas brillantes investigaciones revolucionaron la psicología. En una de ellas puso una rata dentro de lo que ahora se conoce como Caja de Skinner —una caja con una palanca y un despachador de alimento en una pared— y, ¿qué crees que sucedió? Correcto. Como las ratas son naturalmente curiosas, y como se levantan naturalmente en su trasero y curiosean con sus pequeñas patas, aquélla, por accidente pero inevitablemente, presionó la palanca. Una pelotilla del alimento fue liberada y la rata hambrienta probó por primera vez el sabor del emocionante mundo de la causa y el efecto.

Ten paciencia. Viene lo mejor. Skinner dedicó uno o dos decenios a investigar de cabo a rabo este condicionamiento operante, como él lo llamó. Descubrió que si la rata tenía que presionar la palanca varias veces antes de ser recompensada —si tenía que trabajar por su alimento— el acto de presionar la palanca sería mucho más fuerte y mucho menos resistente a la extinción. Además, si la recompensa llegaba en intervalos irregulares, como las de una máquina tragamonedas, el comportamiento era aún más fuerte.

Ahora aquí viene la parte realmente buena. Una de las contribuciones más útiles de la investigación de condicionamiento operante es que nos enseña a deshacernos de comportamientos que ya no deseamos. Hay varias maneras de eliminar una conducta, pero la más eficaz, humana y decente de hacerlo es simplemente dejar de reforzarla. Así, cuando Skinner apagó la energía al despachador de alimento, las ratas comprendieron que no tenía caso presionar la palanca porque no les proporcionaría ningún alimento: causa y efecto otra vez. Si la máquina tragamonedas en la que estás jugando nunca pagara, eventualmente dejarías de jugar en ella.

Por supuesto, esta eliminación no sucede de inmediato. Lo que sucede es que la rata pasa al principio por una crisis de extinción. Es una ráfaga de jaloneo frenético a la palanca como nunca has visto. Gradualmente, la conducta empieza a desaparecer, pero no sin algunas crisis durante el proceso, como si la rata pensara: "Han pasado dos días. Tal vez este perezoso psicólogo ya reparó esta máquina loca". ¿Te suena familiar? ¿Como una máquina de golosinas que se queda con tu dinero?

Aquí está la otra parte crucial. Si en algún momento del proceso refuerzas, aunque sea una vez, el comportamiento de tirar de la palanca, ¡el índice de esa conducta aumenta de manera drástica, a menudo a niveles más altos que antes! Es de lo más sorprendente. Las gráficas 10.1 y 10.2 lo ilustran. Estúdialas. Memorízalas. Grábalas en tu cerebro. Contienen parte de la información más importante que un padre puede adquirir.

CUADRO 10.1

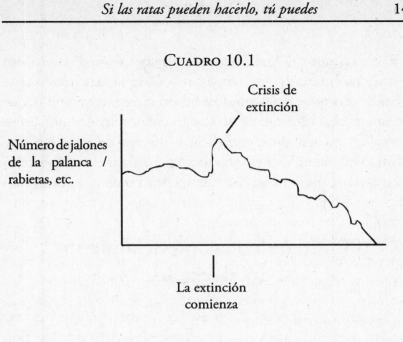

Número de jalones de la palanca / rabietas, etc.

Crisis de extinción

La extinción comienza

CUADRO 10.2

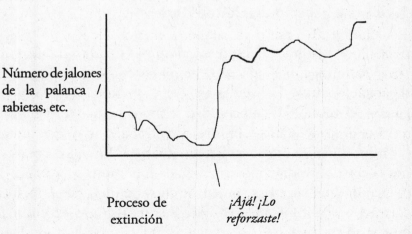

Número de jalones de la palanca / rabietas, etc.

Proceso de extinción

¡Ajá! ¡Lo reforzaste!

Este concepto de Skinner es la clave para una paternidad exitosa en centenares de situaciones problemáticas. ¿Por qué lo decimos? Porque según nuestra experiencia la mayoría de los problemas de los padres se presentan cuando fijan límites a los hijos, y ésta es la manera más eficaz y humana de hacerlo. Cualquier padre puede usar este método, pero algunos no están dispuestos a hacerlo o no se dan cuenta de lo bien que funciona.

Eliminando el comportamiento inadecuado

Tal vez estés pensando: "Ya probé este procedimiento de extinción, ¡pero no funciona!" Este procedimiento de extinción sí funciona. En serio. Pero requiere cierta práctica, algo de entrenamiento, y seguimiento. Para facilitarte su uso esbozaremos algunos errores típicos que cometemos al intentar eliminar conductas inadecuadas en nuestros hijos.

1. Si vas a hacerlo, hazlo: no dudes

Dices "no" a tu hijo. Él empieza a montar una escena. Entonces te fusionas con él en vez de permanecer como una persona separada, distinta. Te hundes en el marasmo de gimoteos y regateos de tu hijo. Tu culpabilidad se incrementa. Comienzas a sentirte desconcertado. Conforme tu ansiedad aumenta, intentas infructuosamente controlar la situación. En vez de mantener el control rindiéndote, manteniéndote calmado y resuelto, y dejando que las cosas tomen su curso natural de extinción, cometes el error típico pero trágico de suponer que si continúas buscando encontrarás la clave para terminar esa aflicción. Pero nunca la encuentras. Nunca lo harás. No hay acción posible aparte de abusar de tu hijo, y no deseas hacerlo. Todos lo hemos visto en la tienda de comestibles. Es un espectáculo doloroso en que nadie desea participar ni presenciar. Por tanto, una vez que decidas no hacer caso de una rabieta —una vez que hayas tomado ese camino— estás comprometido. Nunca pierdas de vista eso.

2. Sigue hasta el final y un poco más

Esto puede parecer increíble, pero mucha gente trabaja en esto por meses, logra un éxito notable con sus hijos en la tienda de comestibles, y al final lo arruina. Lao Tse, el filósofo-poeta chino a quien se atribuye el texto básico del taoísmo, escribió: "La mayoría de la gente fracasa cuando está al borde del éxito. Pon tanta atención al final como al principio, y no fracasarás". Hemos tenido esta cita colgada de la pared de nuestro hogar y nuestra oficina por más de 20 años y nos ha servido fiel y cabalmente. La investigación de B. F. Skinner sobre la extinción de comportamientos operantes es clara e inequívoca. Una vez que eliminas el refuerzo para una conducta, no debe reaparecer. No hay "y si...", "pero", excepciones, ocasiones especiales o tranquilizadores para nuestras conciencias neuróticas. "No" es "no".

Lo que a veces sucede es que después de un par de las semanas de éxito muchos recaemos, como si dijéramos: "Esta cosa de la extinción realmente funciona. ¡Van tres semanas y mi hija no ha hecho una rabieta! ¡Es increíble! Me siento un poco culpable por todo lo que ha tenido que pasar. Quizá le compre unos caramelos... ¡En el mostrador de la tienda!" Si sientes que estás por hacer esto, detente por favor y recuerda que hacerlo sería cruel y confuso para ella.

3. No (y repetimos: no) intentes razonar con un niño que está fuera de control

Tal vez creas que razonar con alguien que está fuera de control es una buena idea. No es buena idea hacerlo con un adulto, y es tonto hacerlo con un niño. Observa qué sucede cuando otros padres lo intentan. Pide a alguien fuera de tu familia que haga una evaluación objetiva, imparcial, dolorosamente honesta de ti y tu hijo cuando intentas hacerlo. Agárrate. No siempre es agradable recibir retroalimentación objetiva. No estamos seguros de dónde procede esta postura extrema (es decir, no equilibrada) de razonar con niños, pero esta noción de sentarse y razonar con un niño, que es buena idea en situaciones muy específicas, ha salido de toda proporción.

Ocuparse de la rabieta es realmente simple. Ignora al niño que grita en el piso a tus pies. Sonríe tranquilamente y con una divertida vergüenza a la gente que te mira. Di queda y firmemente: "Estamos aprendiendo una lección importante hoy. Discúlpennos por el escándalo". La gente es muy comprensiva y elogiosa con los padres sanos. Eso les encantará. Sus ojos brillarán intensamente en señal de apoyo. Su energía alegrará tu corazón. Lo hemos visto más de una vez. Es un momento muy especial.

4. Hagas lo que hagas, no sabotees a tu cónyuge

Hay toda clase de razones por las que las personas fallan al intentar extinguir un comportamiento inadecuado. La última que mencionaremos aquí es seria y evidente para las personas ajenas a la *unidad paternal*. Ocurre cuando un padre sabotea al otro durante el proceso de extinción. Raramente se hace de manera consciente, y casi siempre debido a diferencias previsibles, inherentes entre los cónyuges. Es esencial evitarlo. Las parejas que no presentan un frente unido a sus hijos no sólo se arriesgan a confundirlos sino también a menoscabar su propio matrimonio. Un padre se convierte en el bueno y el otro en el malo. Los hijos claramente se inclinan hacia uno por encima del otro. Antes de que te des cuenta, la pareja estará en un juzgado de divorcio. Si el papá dice en la tienda: "Nada de caramelos", y la mamá se los da a toda hora, tengan cuidado. Se avecinan problemas.

¿Qué más tienes que aprender?

A la aplicación de los principios del condicionamiento operante en situaciones prácticas, cotidianas, se le llamó modificación de la conducta. Tal vez recuerdes la frase. La modificación de la conducta se enseñó a cada maestro y a millones de padres jóvenes en los años sesenta y setenta. También funcionó. Pero como otras técnicas creadas por estadounidenses, se utilizó en exceso, a muerte, eventualmente se malentendió y después se desechó. O casi. Una razón por la que perdió auge por un tiempo es que las modas vienen y van en este país. Así pues, para quienes no estuvieron a principios de los setenta, y para quienes estuvieron y no pueden recordar, presentaremos otros elementos de la modificación de la conducta que pueden resultar útiles.

Define las conductas con claridad

Si dices: "Quiero que mi hijo deje de ser grosero", vas a tener problemas porque "grosero" es un término tan nebuloso que no estará claro si debes recompensar algo, extinguirlo o qué. Tu hijo objetará tu imprecisión, y con buen motivo. Pero si dices: "El comportamiento que deseo es que mi hijo deje de decir las tres peores groserías que dice", entonces estás preparado. Porque una vez que defines el comportamiento con claridad, será mucho menos probable que desistas.

La regla general es que si pides a un grupo de extraños que cuente cuántas veces ocurrió el comportamiento en un día, su conteo y el tuyo deben coincidir en buena medida. Pero si dices que viste cinco incidentes de descortesía y uno de los extraños dice que vio uno, otra dice que vio diez y una más dice que vio veinte, obviamente el comportamiento no está bien definido. Si dices al terapeuta que tu hija hace rabietas en la tienda de comestibles deberá preguntarte qué significa para ti una rabieta. Un padre respondió a nuestra pregunta diciendo: "Rabieta. Ya sabes. Una rabieta. Pone los ojos en blanco, suspira y patalea y espera junto a la salida hasta que he pagado por la mercancía y estoy listo para irme". Eso puede ser una rabieta pasivo-agresiva, pero es muy diferente a si se tirara al suelo gritando y se pusiera azul por contener la respiración. Los detalles son importantes a veces.

Cuenta las veces que ocurre la conducta en los días previos a que intentes cambiarla

Esto es crucial por dos razones. Primero necesitas saber qué tan grande es tu problema para ver si tu hijo está haciendo progresos o no. En segundo lugar, necesitas saber si es un problema digno de modificación. Uno de los resultados frecuentes y agradables que se obtienen con esta medida es que, después de todo, realmente no tienes un problema. Tu hijo no dice tantas groserías. Solía hacerlo, pero eso cambió gradualmente y tu impresión sobre él no le siguió el paso. Esto es muy común.

Busca una recompensa valiosa para tu hijo

De acuerdo, papá, aquí es donde debes reconocer que tu hijo no es tu apéndice. Una recompensa se define como algo por lo que tu niño está dispuesto a esforzarse, no algo por lo que tú crees que tu niño está dispuesto a trabajar. Si tu hija no está dispuesta a trabajar por dinero porque a sus cinco años éste no significa nada para ella, no lo uses como recompensa. Si tu niño odia ir al cine, entonces no digas: "Puedes ganarte el derecho de ir al cine si disminuyes el número de palabrotas a tres por semana".

Sabemos que esto suena muy obvio, pero cuando la gente establece un programa de modificación de comportamiento a menudo hace las cosas más desafortunadas al principio: usa recompensas que carecen absolutamente de sentido para su hijo y después se enojan con éste por no responder al programa. Cuando un programa de modificación de comportamiento no está funcionando, es responsabilidad de los padres determinar en qué se equivocaron. Esto es modificación del comportamiento.

Utiliza el castigo muy escasamente, y antes de hacerlo pregúntate si necesitas castigar porque no estás prestando bastante atención a tu hijo

Muchos padres no pasan suficiente tiempo con sus hijos. Vamos, pueden estar en el mismo cuarto, o en el mismo coche, acometer con urgencia una actividad tras otra. Pero, ¿eso realmente constituye prestar atención? Uno de los textos más valiosos que hemos leído en las revistas de psicología fue un análisis conductual a propósito del tiempo y la energía que implica dejar lo que estás haciendo para elogiar a tus hijos antes de que incurran en un error, y del tiempo y la energía que implica corregir a los hijos a quienes no se ha hecho caso después de que han incurrido en error. Si tus hijos han estado jugando en silencio en el piso de arriba en un día lluvioso por más de una hora, puedes:

1. Dejar lo que estás haciendo por dos minutos (120 minúsculos segundos), subir las escaleras, caminar de manera despreocupada frente a su habitación, asomarte y decir alegremente: "¡Estoy realmente impresionado! Hijos, están jugando de la forma más bonita. Muchas gracias".

2. Esperar algunos minutos más mientras das lo que consideras son los toques finales de ese informe programado para mañana, hasta que tus hijos finalmente se cansan del día lluvioso, del confinamiento y de su acompañante, momento en que harán... bueno, tú sabes.

Es muy simple. Pero es humano no hacer caso a las cosas hasta que se desencadena una crisis. Esto nos indica, en cualquier caso, que mucha gente simplemente no tiene tiempo o no se hace tiempo para criar a sus hijos. Es tu labor crear el ambiente adecuado en tu hogar.

Si intentas cambiar más de uno o dos comportamientos a la vez, ve directamente a prisión

Esto es una violación directa al principio que reza que los cambios pequeños rinden grandes resultados. Hemos criado hijos. Sabemos cuán gratificante y difícil es hacerlo. Sabemos que cuando los hijos están fuera de control, muchos padres fantasean con tener una varita mágica y cambiar veinte cosas de una vez en sus hijos. Pero la vida no es así, y qué bueno que no lo sea. Como escribió Estanislao Leszcynski, rey de Polonia, en

1763: "Es una bendición para la naturaleza humana que haya deseos que no pueden cumplirse. De otra manera, el hombre más lamentable se haría amo del mundo".

La realidad es que los padres que imponen pocas reglas y las hacen cumplir de manera constante son los mejores, al menos en lo relativo a la disciplina. La disciplina es para enseñar, no para aniquilar el espíritu de un niño. Es para ayudar a los hijos a respetar a sus padres, y para que éstos aprendan sobre estructura y límites, no para darles un dominio absoluto sobre sus hijos. La modificación del comportamiento no es una herramienta para hacer a los padres más abusivos o negligentes de lo que son. Debe emplearse con discreción, sabiduría, cuidado y amor.

11

Las mejores cosas sobre los padres que deciden madurar: Una historia típica de éxito

Si has llegado hasta esta parte del libro quizá te preguntes qué tan probable es que los padres cambien después de seguir una trayectoria particular de paternidad por muchos años. Después de todo, negociar los cauces de la paternidad es un duro trabajo para cualquiera pero especialmente para los padres de la actualidad, quienes padecen un exceso de trabajo y responsabilidades. Las personas que *decidan* cambiar *cambiarán*. Más aún: es absolutamente cierto que no importa la edad que tengas; si comienzas un cambio hoy, cada miembro de la familia en la línea intergeneracional recibirá su influencia. Hemos trabajado con personas de setenta y ochenta años quienes decidieron que finalmente era hora de aclarar las cosas para sí mismos y con sus seres amados, y podemos asegurarte que los cambios que lograron generaron resultados positivos en cada miembro de su familia.

Eric, Pamela y Bobby Jamison

En el capítulo 1 presentamos brevemente a la familia Jamison. Recordarás que vinieron con nosotros con una pregunta básica sobre su hijo de cinco años, Bobby. Después concertaron una cita para terapia familiar durante la cual quedó claro que tenían un problema más grande que el que inicialmente habían pensado. Bobby tenía un promedio de cuatro rabietas importantes al día, la hora de irse a dormir era una pesadilla, y las tareas simples como cepillarse los dientes se habían vuelto tremendas batallas que Bobby ganaba siempre. De hecho, Eric estaba fuera de sí, al punto de considerar salirse de casa por el miedo de lo que haría si permanecía en ella. El sistema se había salido de control.

También recordarás que les dijimos que admirábamos su deseo de trabajar en el problema y que ellos obviamente amaban a su hijo. Entonces determinamos que el problema era resultado de que sus métodos específicos no funcionaban, no de que sus metas estuvieran erradas. Sus metas estaban bien, pero eran demasiado vagas.

Considerando todo lo que sabes sobre el desarrollo de los niños, ya sea por libros o simplemente por observación, te pedimos en este momento que imagines cómo sería Bobby a los 13, 18, 23 y quizás 30, si Eric y Pamela continúan educándolo de la manera en que lo han hecho. ¿Tendrá problemas con control de sus impulsos? ¿Tendrá conflictos con las demás personas? ¿Qué sucederá cuando le encarguen un ensayo particularmente difícil en el primer año de preparatoria? ¿Qué clase de amigo será? ¿Qué clase de cónyuge puede ser? Asimismo, ¿qué clase de matrimonio tendrán Eric y Pamela dentro de cinco años, cuando Bobby tenga diez? Una vez que lo hayas hecho, continúa leyendo este capítulo y en las páginas siguientes compartiremos contigo el resultado de este estupendo trabajo de la familia.

Patrones familiares

Explicamos a los Jamison que estaban en una situación muy ventajosa considerando la edad de Bobby: mientras más pequeño es el niño, más fácil es corregir el rumbo. En las sesiones iniciales de evaluación que realizamos con la mayoría de nuestros clientes dedicamos un tiempo a trazar sus genogramas en el rotafolio de nuestra oficina. Esto puede ser especialmente útil al trabajar con parejas porque da a cada cónyuge una idea mucho más clara de dónde vino el otro y cómo fueron instalados sus "botones críticos". Un genograma es como un árbol genealógico, pero en este caso la atención se centra en los patrones de comportamiento, mensajes conscientes e inconscientes, temas de salud física y emocional, y así sucesivamente. Cuando concluimos sus genogramas, los padres y nosotros tenemos una idea mucho más precisa de dónde provienen sus problemas.

Lo que descubrimos es que Eric viene de una familia en la cual se desaprobaba el conflicto abierto. Éste se manifestaba indirectamente, pues parecía que nunca había disputas. Preguntamos a Eric cómo resolvían sus padres los conflictos entre ellos y su primera respuesta fue que no recordaba muchas confrontaciones. Conforme exploramos su dinámica familiar, Eric pudo comprobar que *todos* tienen conflictos, incluyendo a sus padres. Entonces se preguntó: "*¿Cómo* resolvieron sus conflictos, y qué aprendí yo?" Lo qué aprendió fue que su padre simplemente cedió ante su madre siempre que tuvieron diferencias. "¡Ajá!", exclamó. "Pienso que estoy comenzando a entender. ¡Me *da miedo* tener conflictos y mi manera de evitarlos es ceder ante Pamela siempre!" Estaba emocionado por este hallazgo, y Pamela también.

Pamela sabía que su familia presentaba problemas más evidentes. Su madre era caprichosa e inconstante y se apoyaba demasiado en Pamela para el quehacer y para recibir apoyo emocional. Su padre lidió con su esposa ocupándose tanto en el trabajo, en tareas domésticas, en diligencias y en el trabajo voluntario en la comunidad, que la mayor parte del tiempo estaba fuera de casa. Pero era buen proveedor y fue honrado por la comunidad por su buen corazón y disposición para ayudar. Fue muy duro para Pamela reconocer que su padre había abandonado inconscientemente a su mamá, y que indirectamente la había utilizado como escudo. El resultado fue un voto inconsciente que hizo de pequeña: al crecer, ella se cercioraría de que sus hijos disfrutaran su infancia.

Probablemente ya estás atando cabos. Pamela comenzó su maternidad con una herida sin sanar por haber sido explotada, desamparada, abandonada emocionalmente y privada de mucha de la seguridad y diversión de la niñez. Terminó mimando a Bobby y siendo demasiado permisiva con él, en un intento por compensar las carencias de su propia niñez. Lo que ella necesitaba era un cónyuge firme, capaz de establecer un conflicto cariñoso con ella, que la ayudara a encontrar el equilibrio que anhelaba inconscientemente. Eric comenzó la paternidad con una herida sin sanar relacionada con el miedo de hacerse valer en las relaciones íntimas y de expresar la ira. Como su padre, Eric decidió reducir al mínimo el conflicto cediendo ante Pamela. Esto constituía una falta de apoyo hacia ella porque le permitía seguir actuando con base en su dolor, con los consiguientes problemas para ella, para él y para Bobby. En otras palabras, Eric reprodujo parcialmente no sólo su niñez sino también la de Pamela: el papá que no está muy presente.

Algunas personas creen que una vez que han develado estos patrones el trabajo está hecho, y después se preguntan por qué nada ha mejorado. Esta clase de trabajo no es un fin en sí mismo. Es sólo uno de los peldaños, pero puede resultar muy provechoso. Si Eric o Pamela tienen dificultad para completar un programa de cambio para Bobby, será útil saber dónde se están atorando. Identificar estos patrones desde el principio hace mucho más fácil solucionar problemas en un programa de cambio de conducta.

El programa

El siguiente paso fue que Eric y Pamela establecieran un programa inicial de comportamiento para Bobby. Ateniéndose a los principios de modificación de la conducta expuestos en el capítulo 10, les pedimos que comenzaran con *una* sola de ellas. Al principio se sintieron frustrados con la idea. Afirmaron que el sistema estaba fuera de control y que si no realizaban cambios drásticos de inmediato no sabían qué podía a suceder. Explicamos de nuevo por qué lo más conveniente es comenzar con un solo comportamiento, y les pedimos que tuvieran fe en que funcionaría. ¿Qué pueden perder?, les preguntamos. Finalmente convinieron y seleccionaron el cumplimiento de la hora de ir a la cama como su primera meta.

Primero, los Jamison definieron qué significaban cumplimiento e incumplimiento. El objetivo era tener a Bobby en su dormitorio, con la puerta cerrada, y "razonablemente tranquilo", a las 8:00 pm todas las noches. Las conductas de incumplimiento eran que Bobby dijera "no", hiciera una rabieta, se fuera a la cama y reapareciera en la sala pocos minutos más tarde pidiendo un vaso de agua o un cuento para dormir, o se quedara en su recámara con la puerta cerrada pero gritando o haciendo una rabieta. Decidieron que era aceptable si Bobby cantaba, hablaba solo o tarareaba, siempre que estuviera en su recámara con la puerta cerrada. Pamela preguntó si era dañino que Bobby gritara hasta quedarse dormido al pie de la puerta de su dormitorio. Ella sentía que los fantasmas de su niñez le susurraban al oído. Le explicamos que no sabíamos de ningún niño que hubiera sufrido daño por dormirse en el piso junto a su puerta unas cuantas noches, y que una vez que él comprendiera que la maniobra no iba a funcionar, decidiría dormir en su cama, que es, después de todo, mucho más cómoda. Ella reconoció que le iba a ser difícil; Eric tomó su mano y la felicitó por su valor, al tiempo que ella vertía algunas lágrimas.

A continuación dedicaron siete días a observar y llevar un registro del comportamiento para tener una base con la cual comparar el efecto de su programa. Esto puede parecer exagerado u obsesivo, pero recuerda que estamos tratando con un sistema fuera de control, y resulta muy útil medir con exactitud cuán grave es el problema. Admitieron que les fue difícil ser pacientes y concretarse a registrar el comportamiento, cuando lo que deseaban era meterse de lleno y comenzar a cambiar las cosas. Pero llevaron el registro, y lo hicieron bien. Cuando volvieron con la información, lo primero que dijeron fue que estaban sorprendidos por la magnitud del problema y que el proceso de registro les había ayudado a ser más objetivos e imparciales. También notaron que ahora les preocupaba más la manera en que ese comportamiento perjudicaba a Bobby, que el estrés que les provocaba a ellos. Esto les permitió ser más objetivos y resueltos con el programa de cambio. Según dijeron, las cosas estaban mejorando. Entonces llegó el momento del programa de cambio. Ayudamos a Eric y Pamela a entender que los sentimientos de culpabilidad, compasión, miedo y tristeza, mezclados con enojo hacia ellos mismos, hacia Bobby y hacia nosotros, serían normales durante los primeros días, y que esperar otra cosa sería poco realista e injusto. También les pedimos que buscaran todo el apoyo posible porque lo necesitarían para contener sus fuertes impulsos de sabotear el programa. Volviendo al informe sobre cómo iban las cosas, Pamela prorrumpió en lágrimas, los labios de Eric temblaron y él "se turbó todo." Era muy duro, dijo ella. La experiencia revivió muchos sentimientos viejos. No estaba segura de poder continuar. Eric corrió un riesgo enorme y dijo estar enojado por la posibilidad de que Pamela no siguiera. También dijo que la amaba y que continuaría apoyándola sin importar qué ocurriera.

Al discutir sus esfuerzos hasta el momento, resultó que habían tenido más éxito del que esperaban. La primera noche fue tan difícil como habían imaginado. Bobby gritó, rabió, chantajeó e intentó cada truco de su repertorio para permanecer levantado más tarde. Pero lo lograron y, de hecho, Bobby se durmió al pie de su puerta cerrada mientras los Jamison fantaseaban despiertos que le habían causado un daño irreparable. La mañana siguiente actuaron como si nada hubiera sucedido e hicieron un esfuerzo especial para mantener un ánimo positivo y animado sin parecer que fingían. Bobby se veía bien. La noche siguiente, Bobby hizo otra rabieta e intentó varios trucos, pero no todos. Los Jamison registraron todos sus comportamientos según lo establecido en el programa, y cuando revisaron sus datos con nosotros comprobaron que todo había ido mejor la segunda noche. Los felicitamos por el trabajo realizado y en algún momento de la conversación les señalamos que estaban reprogramando el *software* enfermizo que les habían instalado cuando niños. Sonrieron complacidos, a pesar de sus miedos de lastimar a Bobby y de no ser capaces de perseverar.

Trabajar con los problemas

Las tres siguientes noches redituaron un progreso constante. Eric, Pamela y Bobby estaban triunfando. La inseguridad de Eric y Pamela también continuó. Por una parte estaban orgullosos de sí mismos y de Bobby por los cambios que lograban, y por otra se sentían culpables y tristes. Sentían pena por Bobby cuando "decía sumisamente buenas noches" y de que estuviera en su cama, solo, en la oscuridad, mientras ellos gozaban con calma de un muy necesario tiempo juntos. Se sentían egoístas y se preguntaban si eso era ser buenos padres. Pamela preguntó a Eric: "¿No se sentirá abandonado Bobby? Siento que es muy cruel sólo decirle 'buenas noches' después de contarle un cuento y cerrar su puerta, bajar a ver la televisión y pasar el tiempo solos... Quizá deberíamos regresar y arroparlo otra vez." Por una fracción de segundo ella volvía a sentirse como una niña, otra vez en su cuarto, cansada y sola, preguntándose si alguien de su familia se preocupaba por ella.

Eric también estaba confundido. Se sentía aliviado de que Bobby estuviera tranquilo por la noche, pero podía ver el dolor en la cara de su esposa y su corazón se condolía. Después de luchar con estos sentimientos, Eric se oyó decir: "Bueno, supongo que no lo lastimaría. Después de todo, se ha portado muy bien." Conforme sus palabras se escucharon en la habitación él retrocedió conmocionado por lo que acababa de decir, pero era demasiado tarde, se dijo. Pamela se veía tan aliviada que Eric no se atrevió a volver atrás. Habría roto su corazón. Así que fueron. Ambos reían nerviosamente y sonreían, pero en el interior se sentían culpables y avergonzados por rendirse a un impulso que no era bueno para ellos ni para Bobby.

Abrieron la puerta y la luz del vestíbulo enmarcó el rostro de Bobby. Éste miró hacia arriba, soñoliento y desconcertado al principio, y preguntó: "¿Qué?" Su ambivalencia aumentó mientras se miraban uno al otro. "Oh...", dijo Pamela. Eric comenzó: "...Uh... pensamos que te has portado tan bien toda la semana al irte a la cama que quisimos subir y arroparte en las sábanas otra vez." Bobby estaba casi dormido y aún seguía mareado. Pamela lo abrazó firmemente por un segundo, Eric le acarició la cabeza cariñosamente y le dijeron "buenas noches". Bobby dijo: "Buenas noches", y salieron, cerrando la puerta detrás de ellos. Bajaron en silencio por las escaleras a la sala, sintiendo una mezcla de alivio, timidez y ansiedad sobre qué sucedería después.

No tuvieron que esperar mucho. Cinco minutos después de que salieron del cuarto Bobby apareció en el umbral de la sala, manta al hombro, enfurruñado y con una mirada melancólica en sus ojos, mirándolos fijamente. "¿Qué quieres, amor?", preguntó Pamela.

"¿Puedo sentarme en tu regazo por un minuto?", lloriqueó. "No, Bobby. Ya pasó tu hora de ir a dormir. Regresa a la cama", dijo Eric, intentando controlar la situación.

"Pero no estoy cansado", gimoteó Bobby más alto. "¡Ustedes me despertaron y ahora no estoy cansado!"

Pamela atajó: "Anda, amor. Vuelve a la cama." Bobby levantó la voz y dijo: "¡No quiero! ¡Y no tengo que hacerlo!"

La presión arterial de Eric se elevó, se sentía molesto, y miró enfurecido a Pamela, poniendo en blanco los ojos sarcásticamente como diciendo que todo era su culpa y que si ella no fuera tan sentimental eso nunca habría sucedido. Pamela sentía el desprecio de Eric y reaccionó: "Eres tan pasivo-agresivo que es patético. ¡No entornes tus ojos ni me hagas esos suspiros!"

Mientras Bobby miraba a sus padres pelear, sus ojos se abrían más, y su corazón comenzó a palpitar. Cuando su ansiedad aumentó aún más gritó: "¡Quiero un vaso de leche!"

Pamela se volvió hacia Bobby y gritó a todo pulmón: "¡Tú vuelves a la cama ahora antes de que vaya y te azote tan fuerte que no podrás sentarse por una semana! ¡Súbete a dormir!

¡Ahora!" Caminó hacia él, ciega de rabia, el puño apretado y el brazo levantado, lista para golpear. Eric le gritó: "¡Pamela! ¡Detente! ¡Lo lastimarás!" Pamela giró sobre sus pies para enfrentar a Eric. Al volverse, sus ojos se toparon con un florero sobre un pedestal cerca de la ventana de la sala. Se lanzó por él, giró un poco más, lo levantó y lo lanzó hacia Eric. Él lo eludió y el florero se estrelló violentamente contra la pared, rompiéndose en mil pedazos. Bobby gritó y comenzó a sollozar. Eric caminó hacia Pamela. Ella salió furiosa de la casa. Eric dio vuelta de nuevo para confortar a Bobby, que estaba tirado en el piso donde había estado parado momentos antes. La casa se sentía inquietante, pesarosa, silenciosa de no ser por los débiles ladridos del perro de la casa de al lado. A dos cuadras, con lágrimas rodando por sus mejillas, Pamela sollozaba: "Oh, Dios, ayúdanos por favor. No podemos seguir así. Esto se está volviendo una pesadilla."

El principio de su matrimonio

Pamela volvió a la casa treinta minutos después y encontró a Bobby tranquilo en su cuarto y a Eric recogiendo con la aspiradora los fragmentos del cristal del piso. Ambos temían lo peor. Ambos sentían como si esto fuera el principio del fin de su matrimonio y su familia. Se sentían hartos, perdidos, asustados, vacíos, solos, confundidos y agotados. Al día siguiente llamaron para concertar una cita, y después de que nos contaron brevemente lo sucedido, les dijimos que deseábamos verlos para una sesión. Cuando entraron en nuestra oficina tenían un aspecto miserable. Les explicamos que queríamos utilizar la mitad de la sesión para hablar sobre lo que había sucedido la noche anterior, y la otra mitad para continuar con su programa de cambio. Parecían sorprendidos. Actuábamos como si lo ocurrido hubiera sido predecible, y como si todo fuera a resolverse. Pamela describió su ataque de ira. Eric describió su intento por intervenir y la explosión que sobrevino. Escuchamos pacientemente. Cuando terminaron, sacamos las dos hojas que contenían sus genogramas y las aseguramos con cinta sobre el atril. Pedimos a Eric y Pamela que buscaran en ellos patrones que pudieran ayudar a explicar qué sucedió, cosa que hicieron. Explicamos que lo sucedido era un paso previsible en su camino hacia la adultez sana. Nuestros viejos patrones irrumpen en el presente de modo que podemos trabajar en ellos y superarlos. Explicamos que las personas, de manera inconsciente, seleccionan cónyuges que les permitan exponer sus viejas heridas. De este modo pueden curar esa parte de sí mismos y convertirla en "lo mejor de sí".

Eric dijo rápidamente: "Una de mis carencias de la niñez es el miedo de afirmarme, el cual me hace ceder todo el tiempo. Esta lucha con Bobby me está dando la ocasión de defender lo que considero correcto."

Pamela agregó: "Y yo necesito superar lo que me sucedió cuando niña para no permitir que esos viejos sentimientos dicten cómo debo fijar límites para Bobby."

Estuvimos de acuerdo. Comenzaban a superar la culpabilidad y la vergüenza de la noche anterior y se acercaban más como miembros de un equipo. Explicamos que madurar resulta doloroso para todos y que para convertirnos en adultos sanos debemos tomar decisiones basadas en lo que sabemos que es correcto, más que en lo que nos dictan nuestros viejos sentimientos. Pamela parecía avergonzada cuando dijo: "Sabía que no debíamos ir al cuarto de Bobby una vez que se había quedado tranquilo. Pero por un momento esos viejos sentimientos salieron de la oscuridad y les permití tomar el control." "Sí", respondimos. "Esto sucederá de vez en vez. Y parte de su trabajo en equipo es estar cada vez más conscientes de cuando esto suceda, y ayudar al otro a no perder el rumbo."

"Pero, ¿qué pudimos hacer para evitar esta crisis?", preguntó Eric. "Si no aprendemos a hacerlo, estaremos perdidos." Pamela dijo que hubiera querido que Eric interviniera y la detuviera. Eric dijo que de hacerlo así ella hubiera explotado contra él. Preguntamos a Eric si podría tolerar por un tiempo el enojo de ella. Él pensó por un momento y dijo que probablemente podría, pero que no le gustaría. Entonces se volvió hacia Pamela y dijo: "Pamela, sólo quisiera que te controlaras. Has estado consintiendo a Bobby desde el primer día porque quieres enmendar tu..."

La ira se reflejó súbitamente en el rostro de Pamela, y dijimos: "Eric, ¡basta!" Él se detuvo y continuamos. "Queremos que expreses lo que estabas diciendo, pero de otra manera, sin avergonzar, culpar, señalar o psicoanalizar. ¿Qué quieres realmente de Pamela en el futuro?"

Él dijo: "Pamela, yo me esforzaré por intervenir, como has pedido. Lo que quisiera es que me dijeras cuando sientas que esos sentimientos te están venciendo; indícamelo de alguna manera." La expresión de Pamela se suavizó y dijo: "Puedo trabajar en eso, Eric. Y me ayudaría mucho saber que te interesa lo que estoy sintiendo. Entonces no me sentiría así de impotente y sola con estos sentimientos."

"Expresar esos sentimientos puede anular gran parte de su energía", dijimos. "Y compartir sus sentimientos entre ustedes —incluso los de enojo— en última instancia los unirá." Lo estaban logrando. Comenzaban a reconocer que mientras más se separaran, más capaces serían de acercarse. Comenzaban a ver que cada uno tenía sus propios problemas con los cuales luchar y que nadie podría librar esa lucha por ellos. Este proceso se llama "individualización". Al mismo tiempo comenzaban a ver que podrían ser aliados del otro en esas luchas: no tenían que enfrentarlas en el aislamiento. Y entonces les pedimos que dijeran qué valoraban sobre las *carencias* de la niñez de su cónyuge, lo que los confundió por un momento. Pamela finalmente dijo: "Eric, realmente me gusta tu gentileza y tu deseo de evitar los conflictos. Ésa es una de las razones por las que me enamoré de ti."

Eric dijo: "Pamela, me gusta que seas tan organizada y que sea tan importante para ti hacerle divertida la vida a Bobby. Eres una madre maravillosa."

Algunas lágrimas escaparon de los ojos de Pamela. "Oh, Eric", comenzó ella. "Éste no es el fin de nuestro matrimonio. Es justo el principio."

Eric sonrió y respondió: "¿No es asombroso? El día siguiente en que pensábamos que todo estaba acabado es el día en que todo apenas comienza. Necesitábamos esta pelea desde hace mucho tiempo."

Ella dijo: "Lo sé. Se había acumulado y estábamos demasiado asustados para sacarlo, hasta ese momento. Me siento mucho mejor ahora."

Entonces preguntamos a Eric y Pamela si estaban listos para continuar el importante trabajo de crear nuevos patrones para su paternidad. La esperanza reemplazó al miedo y la vergüenza en sus semblantes; sonrieron y dijeron "Sí". Pasamos entonces a analizar cómo estaba funcionando el programa de cambio. Discutimos la mejor manera de retomarlo donde lo habían abandonado. Decidieron disculparse brevemente, y sin faramalla, con Bobby por subir a su cuarto la noche anterior, restablecer la hora de ir a la cama que habían dispuesto, y agradecerle por hacer tan buen trabajo hasta ese momento.

Más allá de la crisis

Como tal vez hayas conjeturado, hemos condensado el caso precedente para hacerlo más legible. En algunas situaciones, el tiempo transcurrido entre el comienzo de la crisis y su resolución puede ser de varios meses, o aun años, dependiendo de qué tan dispuestos estén los padres a realizar cambios. En algunas familias, una crisis de estas proporciones nunca se materializa. Todo depende de lo que cada cónyuge haya aportado a la relación, de cuánto tiempo ha estado el problema sin atención o sin solución, la presencia de otras crisis y la fuerza de la unión. Esta descripción del caso es sólo una muestra de lo que enfrentan los padres mientras aprenden a aplicar programas de cambio del comportamiento. Especialmente en las primeras fases del programa, a menudo hay mucho de tanteo basado en las reacciones únicas del niño. Los padres necesitan darse mucho tiempo para echar a andar un programa de cambio, y necesitan ser tan abiertos, flexibles e innovadores como puedan. Cuando los antiguos patrones están profundamente arraigados y parecen insuperables, el apoyo exterior es extremadamente valioso, como la asesoría de un profesional.

Y recuerda

Considera que la meta de un programa de cambio de comportamiento no es que te conviertas en dictador, sino que establezcas una estructura y unos límites razonables para tu hijo, de modo que ambos, él y tú, puedan tener una vida sana. La otra meta es que aprendas a llevar las riendas, de modo que tu hijo se sienta seguro. En muchos casos, una vez que los padres han instituido y aplicado de manera constante un nuevo límite, como la hora de dormir, sus hijos los toman más seriamente cuando fijan otros límites, pues saben que la manipulación no será eficaz. Por eso insistimos tanto en que escojas un comportamiento y te concentres en él durante varios meses antes de intentar cambiar otra cosa. No sólo estás haciendo cumplir una hora para dormir; estás permitiendo que tu niño sepa que tú estás a cargo de ciertas partes de su vida y que por más poses, regateos, gimoteos, rabietas u otras manipulaciones que haga, no cederás. En otras palabras, todos están recobrando el control de su vida y creando matrimonios y niños sanos. Una vez que lo logres, las grandes crisis desaparecerán.

Algunas recomendaciones finales

Cuando se trata de libros de superación personal, hemos descubierto que si los lectores incorporan uno o dos consejos en sus vidas, un libro ha tenido éxito. Esto ocurre en especial cuando nuestros lectores están abiertos a la serendipia en la vida. El descubrimiento de patrones únicos, principios o verdades es más factible cuando estamos dispuestos y somos capaces de *ver* la vida con una perspectiva fresca. Si bien la aseveración anterior puede ser circular, vale la pena plantearla más de una vez porque esta clase de apertura es la llave para realizar cambios duraderos. Después de todo, la diferencia entre confiar en la vida y no hacerlo no está en cómo la vida se manifiesta; está en cómo decidimos interpretar los acontecimientos de la vida mientras éstos se revelan. Si estoy funcionando en el modo de víctima, consideraré la vida injusta, incierta, cruel y malévola. Si funciono más como adulto competente, consideraré la vida emocionante, desafiante, dolorosa a veces, injusta a veces pero básicamente buena.

Con esos pensamientos en mente, quisiéramos terminar este libro con algunas indicaciones generales que pueden resultar provechosas, en especial si no has podido aplicar las sugerencias previas. También quisiéramos recordarte que podrías no convenir con todo lo que hemos escrito aquí, o con una gran parte. Simplemente te pedimos que estés abierto a la posibilidad de que haya una verdad en algún sitio de este libro que podría hacerte un mejor padre. Si has leído hasta aquí, probablemente ya la descubriste. Si no la has descubierto, mantente abierto a la posibilidad de que esté incluida en una de las recomendaciones subsecuentes.

Las once mejores cosas que pueden hacer los padres

1. Si tu pasado se interpone en tu camino, despéjalo por todos los medios

Esto puede parecer elemental, pero no lo es. La niñez perfecta no existe, y muchos de los que creen haber tenido una casi perfecta en realidad tuvieron una bastante defectuosa. Hemos trabajado con miles de personas que intelectualmente "sabían" que no criaban bien a sus niños porque los fantasmas de su pasado los frecuentaban; sin embargo, decidieron no hacer nada porque se sentían demasiado asustados o avergonzados. Esperaban que sus hijos se hicieran adultos aun cuando ellos no lo habían logrado. Nadie, incluyendo a los autores, lo hace cabalmente, pero si continúas tropezando con tu pasado, por favor reúne el valor para hacer algo al respecto. Todos tememos el valor de hacer este trabajo. Despejar tu vida de los fantasmas de la niñez no significa culpar a nadie; consiste en quitar las anteojeras de tus ojos y dejar de ser prisionero de los patrones automáticos que aprendiste de niño.

En las fases tempranas de esta clase de trabajo puedes sentirte enojado por la manera como te trataron o por los errores de tus padres. Pero un terapeuta competente te ayudará a identificar esos sentimientos, redefinirlos con una perspectiva de adulto y seguir adelante. Ésa es la diferencia. El resultado final de ese trabajo es dejar de estar enojado. Es encontrar la paz, la aceptación, el perdón donde sea necesario, y después continuar con el resto de tu vida.

2. Habla con otros sobre asuntos de paternidad; si te da miedo o vergüenza, oblígate a hacerlo

Una de las diferencias cruciales entre quienes maltratan a un niño y quienes no lo hacen es que estos últimos están dispuestos a hablar con otros sobre sus experiencias como padres, y en especial sobre sus ocasionales sentimientos de desesperación, desesperanza o ira mientras crían a sus hijos. Hablar de estos sentimientos íntimos y reveladores es lo que impide que los expresemos en actos. Si estos sentimientos humanos normales te avergüenzan y no hablas con nadie sobre ellos, puedes ser una persona en riesgo muy alto de maltratar a tu hijo.

Los padres sanos discuten con otros sus dilemas y confusión respecto a la paternidad. Algunos padres no saben cómo hacerlo o dónde encontrar a otros con quienes hablar. En ese caso, tienes varias opciones. Puedes llamar a un psicólogo o a una institución de salud mental y preguntar si saben de grupos de ayuda para padres, o puedes llamar a The United Way, o a un número de emergencia para personas en crisis, o a tu iglesia, o charlar con el consejero de la escuela de tu hijo o con un vecino; hay muchas opciones.

3. Recuerda que no hay padres, familias o niños perfectos

¿Por qué es importante recordarlo? Porque automáticamente te deshaces de mucha de la presión por ser perfecto, lo cual, a su vez, quita presión a tus hijos, lo que, a su vez, hace la vida en familia mucho más agradable. Hay personas a quienes esto las altera porque todavía ven todo en negro y blanco. Eres perfecto o eres un monstruo. Se trata de una perspectiva desafortunada. Hay muchos niños consentidos, muchos niños que sufren abuso, muchos niños realmente sólidos, y todo lo que hay entre estos extremos. Los niños sólidos vienen de familias donde se espera que se vuelvan competentes, pero también que incurran en errores, se diviertan y se confundan ocasionalmente.

Ser padre acarrea una enorme alegría y, a veces, angustia y dolor. Ser adulto significa aceptarlo. Tiene sentido decir que ser un adulto competente, apacible, y ser un buen padre tienen mucho en común. Haz espacio en tu corazón para tus defectos y esfuérzate por ser una mejor persona mientras transcurre tu breve estancia en este mundo. Manteniéndolos en equilibrio para ti mismo, es muy probable que los mantengas en equilibrio para tus hijos.

4. Los hijos no están aquí para criarnos, servirnos, aconsejarnos ni para ser nuestro "apoyo social integrado"

Los hijos necesitan tener responsabilidades, pero no ser esclavos ni pequeños adultos. Si no hay otros adultos en tu vida, busca alguno. Algunas personas dicen: "No tengo tiempo para hacer nuevos amigos", o "Tuve una mala niñez y no confío en la gente", o "No sabría dónde comenzar a encontrar amigos", o "A mis hijos les encanta quedarse en casa conmigo; además, eso los mantiene lejos de malas influencias". Pero al buscar apoyo social en tus hijos obstaculizas su desarrollo y pudieran terminar viviendo contigo y viviendo tu vida a sus treinta, cuarenta o cincuenta años, y más allá.

¿Debes asignar tareas a tus hijos? Por supuesto. Pero si de manera egoísta esperas que sean tus sirvientes, y si esperas dejar todo en sus manos siempre que por capricho decidas que los necesitas para ayudar con las tareas, te suplicamos que examines lo que estás haciéndoles y haciéndote. Considera lo que es razonable esperar de niños de su edad. Habla con otros si no tienes idea o si sospechas que lo que hiciste de niño no era razonable. Entonces siéntate con ellos y formula un sistema al que puedan atenerse y del cual depender. Toma la iniciativa al respecto. Cerciórate de que lo sigan. Y entonces déjalos solos. Tus hijos necesitan hacer tareas domésticas y participar en la vida familiar, pero no detengas a tu hijo cuando está saliendo a la fiesta de la escuela diciéndole que no puede ir porque necesitas que te ayude a lavar las ventanas esa noche. No lo necesitas para eso en ese momento, incluso si piensas que así es.

5. Recuerda que un pequeño cambio implementado de manera sistemática es más valioso que mil cambios grandes sin seguimiento

Es todo lo que necesitamos decir aquí. Lo hemos repetido una y otra vez a lo largo de este libro. Sólo recuérdalo. Por favor.

6. Si eres es demasiado serio y rígido, aprende a relajarte y divertirte

Algunas personas simplemente no saben jugar y divertirse, lo que se resume en el credo: "La vida es una maldita y luego te mueres." Bien, la vida es una maldita la mayor parte del tiempo si tú la haces así. No tiene que serlo. A muchos en este país se nos dificulta divertirnos, hacer el tonto y no producir. Hay tantas personas serias y rígidas que algunos talleres muy populares enseñan a la gente cómo divertirse y jugar.

Recuerda que el control es bueno, y también lo es renunciar a él ocasionalmente. No importa si no tienes el césped segado perfectamente esta tarde. Puede ser divertido sentarse con un montón de gente después de la cena a bromear, reír y hablar. Puede que valga la pena experimentar relajando algunas de tus reglas y convenciones rígidas. La Tierra no dejará de rotar en su eje. Los cielos no se abrirán ni lloverá fuego sobre ti y todos tus vecinos. Tu hijo no terminará en la cárcel si de vez en cuando obtiene una B o una C en su boleta de calificaciones. Puede ser infinitamente gratificante para ti dejar que otros te vean siendo un ser humano real, cómodo, abierto.

7. Si eres demasiado permisivo, sé más estricto

Algunas personas están "por naturaleza" menos estructuradas que otras, como probablemente saben quienes se han sometido a la prueba de tipos psicológicos Myers-Briggs. Pero ser "menos estructurado" es diferente a ser demasiado permisivo o, peor, a no tener guía moral. Los individuos carecen de estructura en sus vidas por diversas razones. Algunos intentan sobrecompensar una niñez de reglas y regulaciones rígidas, despiadadas y crueles. Otros aprendieron a sentir pena por todos y por todo. Otros más fueron tan sobreprotegidos que creen que la lucha es mala y que la decepción se debe evitar a toda costa.

Sea cual sea la razón, si descubres que literalmente te rompe el corazón oponer resistencia a tus niños, por favor presta atención. Cuando los niños crecen sin resistencia comienzan a creer que no hay ninguna resistencia en el Universo, lo cual los hace sentir increíblemente infelices y perdidos mientras intentan, sin lograrlo, incorporarse a la edad adulta y crear su propia estructura de vida. No se nos ocurre ninguna situación en la cual ésta sea una manera funcional de criar a un niño.

8. Recuerda que cuando dejas los extremos y te diriges hacia un centro más saludable, sentirás que "algo está mal"

Si eres un poco más estricto después de ser demasiado relajado, sentirás que te estás volviendo malo. Si te relajas después de ser demasiado estricto, sentirás que te estás haciendo laxo. Pide la opinión de otros para confirmar dónde estás parado. Nadie sabe manejar cada situación de paternidad de manera impecable, pero algunas personas saben manejar algunas situaciones mejor que otras. Mira alrededor. Observa. Escucha. Sé abierto. Encontrar el punto medio es posible la mayor parte del tiempo si te lo propones. Si no, no podrás.

9. Examina tus valores y forma de vida, y disponte a hacer cambios pequeños y eficaces en caso necesario

La gente puede limitar la cantidad de televisión que mira. Es posible pedir a todos en la casa que coman juntos un par de veces a la semana. Si te das cuenta de que tu hijo se ha enganchado con los juegos de computadora, no pases meses estrujándote las manos y entablando interminables luchas de poder con él. Esto es como una mordedura de serpiente. Si la atiendes enseguida, puedes evitar gran parte de los síntomas y del dolor resultantes. Si no lo haces, tú y tu niño se verán enfrascados en batallas sin fin durante años. Sólo hazlo. Elimina los juegos del disco duro de la computadora, y si eso no funciona, lleva la computadora a una habitación donde su uso pueda supervisarse correctamente, y supervísalo adecuadamente.

10. Muestra liderazgo, no derechos de propiedad

No temas mostrar liderazgo. Más que ser sus dueños, somos los guardianes de nuestros hijos, sus protectores y sus guías. Recuerda que la buena dirección incluye amor, cuidado y calidez, así como estructura y límites. Pareciera que el liderazgo es uno de los conceptos peor entendidos en la vida familiar estadounidense. Actuamos como tiranos o como los mejores amigos de nuestros hijos, sin que ninguno sea particularmente provechoso. Un buen líder inspira a otros a que lo sigan. Pregúntate de vez en cuando en qué se convertirán tus hijos inspirados por tu ejemplo. ¿Los estás inspirando a que tengan valor y determinación o eres más un ejemplo de apatía y aflicción? ¿Estás dispuesto a tomar decisiones personales difíciles por un bien mayor y que rendirá frutos en el largo plazo, o la mayoría de tus decisiones son egocéntricas y centradas en lo inmediato? Considera adónde estás conduciendo a tu familia, y asegúrate de que puedas estar orgulloso de ello.

11. No temas experimentar

Sobre todo, grábate esto en el corazón: nadie llega a ningún lado sin experimentación. No importa qué te digan tus "filtros personales", los hijos son asombrosamente fuertes. Si te sientes frustrado por un problema específico de paternidad, intenta algo diferente. A veces algo distinto es mejor que lo de costumbre, incluso si lo único que haces diferente es conducir a casa por una ruta distinta de la que utilizas normalmente. Cambiar una rutina diaria puede relajar el inconsciente lo bastante para permitirte generar nuevas y eficaces soluciones a los problemas significativos de tu vida, en especial si también estás abierto a nuevas maneras de ver el mundo.

Si eres tan rígido que piensas que sólo hay una manera correcta de hacer las cosas, consigue ayuda. Esta clase de rigidez crea problemas que aumentan de manera exponencial conforme tus hijos crecen, pues cuanto más lejos van en la vida, más soluciones hay para el mismo problema. Un niño de año y medio expresa su autonomía de manera estandarizada: diciendo "no", intentando dar sus primeros pasos lejos de ti, o metiéndose en cosas en las que se supone no debería. Un joven de veinticinco años tiene muchas más opciones disponibles para expresar autonomía: su manera de vestir, la carrera que elige, sus tendencias políticas, sus creencias religiosas, la compañía que frecuenta, el lugar donde elige vivir, a qué hora duerme por las noches, etcétera. Si tu hijo tiene veinticinco años y todavía crees que hay solamente una manera correcta de hacer las cosas, te espera una cantidad enorme de angustia y conflictos innecesarios.

Estar abierto a las soluciones alternas y con disposición a experimentar con tus métodos de crianza, demuestra la clase de flexibilidad que en última instancia te servirá a ti y les servirá a tus niños. La vida no es una prueba. No nos graduamos cada víspera de Año Nuevo. La vida es para vivirla lo mejor que podamos, tan creativa, plena y respetuosamente como podamos. Lo mismo es válido para nuestros esfuerzos como padres.

Esperamos que te haya sido de provecho leer este libro, y te deseamos lo mejor ya sea que comiences o continúes uno de los viajes más gratificantes en la vida de cualquier persona: *el viaje de la paternidad.*

REFERENCIAS

ABC News 20120. 8 de agosto de 8, 1997, Segmento dos: "Push-over Parents". Producido por Penelope Fleming, editado por Mitch Udoff, e investigado por Deborah Roberts. Para adquirir una copia de este segmento, entra en contacto con ABC News al 1-800-CALL ABC.

Arnold, K., y T. Denny. Estudio sobre los alumnos destacados de preparatoria de Illinois citado en D. Goleman, *Emotional Intelligence*, Nueva York: Bantam, 1995.

Bateson, G. "The Cybernetics of Self. A Theory of Alcoholism". *Psychiatry* 34 (1971): 1.

Berg, S. "The New Simplicity Movement". *Minneapolis Star-Tribune*, diciembre de 1997.

Bouchard, T. J., Jr., David T. Lykken, M. McGue, N. Segal, y A. Tellegen. "Sources of Human Psychological Differences: The Minnesota Study of Twins Reared Apart". *Science*, 12 de octubre de 1990: 223-228.

Brown, H. Jackson, Jr., *A Father's Book of Wisdom*. Nashville: Rutledge Hill Press, 1988.

Bruner, J. S., "The Course of Cognitive Growth". *American Psychologist* 19 (1964): 1-14.

Doherty, W., *The Intentional Family: How to Build Family Ties in Our Modern World*. Nueva York: Addison-Wesley, 1997.

Erikson, E. H., *Identity: Youth and Crisis*. Nueva York: W. W. Norton & Co., 1968.

Gibran, K. *The Prophet*. Nueva York: Alfred A. Knopf, 1982.

Goleman, D., *Emotional Intelligence: Why It Can Matter More Than IQ*. Nueva York: Bantam, 1995.

Greeley, A., Citado en "Talking to God: An Intimate Look at the Way We Pray." *Newsweek*, 6 de enero de 1992.

Kagan, J., *Galen's Prophecy*. Nueva York: Basic Books, 1994.

Kagan, J., "Reflectivity-Impulsivity: The Generality and Dynamics of Conceptual Tempo". *Journal of Abnormal Psychology* 71 (1966): 17-24.

Kohlberg, L., J. Yaeger, y E. Hjertholm. "Private Speech: Four Studies and a Review of Theories". *Child Development* 39 (1968): 691-736.

Lao-tzu. *Tao Te Ching*. Feng, G. F., y J. English, traducción. Nueva York: Random House, 1972.

Loevinger, J., *Ego Development: Conceptions and Theories*. San Francisco: Jossey-Bass, 1977.

Louis-Harris Poll. *USA Today*, 27 de febrero de 1998.

Luria, A. R., "The Directive Function of Speech in Development and Dissolution", *Word* 15 (1959): 351-352.

Maddock, J. W., y Noel R. Larson. *Incestuous Families: An Ecological Approach to Understanding and Treatment*. Nueva York: W. W. Norton, 1995.

McNeill, D. "The Development of Language". En *Carmichael's Manual of Child Psychology*, editado por P. H. Mussen. 3ra ed. New York: John Wiley & Sons, Inc., 1970.

Meichenbaum, D. H. "The Nature and Modification of Impulsive Children: Training Impulsive Children to Talk to Themselves". *Research Report*, no. 23 (10 de abril de 1971), Department of Psychology, University of Waterloo, Waterloo, Ontario, Canada.

Milgram, S,. "Behavioral Study of Obedience". *Journal of Personality and Social Psychology* 67 (1963): 371-378.

Mischel, W. "Theory and Research on the Antecedents of Self-Imposed Delay of Reward". *In Progress in Experimental Personality Research*, vol. 3, editado por B. A. Maher. New York: Academic Press, 1966.

Ornish, D., *Love and Survival. The Scientific Basis for the Healing Power of Intimacy*. Nueva York: HarperCollins, 1998.

Ornish, D., *Dr. Dean Ornish's Program for Reversing Heart Disease*. Nueva York: Random House, 1990.

Paloma y Gallup. Estadísticas citadas en "Talking to God: An Intimate Look at the Way We Pray". *Newsweek*, 6 de enero de 1992.

Piaget, J., *The Origin of Intelligence in Children*. NuevaYork: International Universities Press, 1936.

Pipher, M., *The Shelter of Each Other. Rebuilding Our Families*. Nueva York: Grosset/Putnam, 1996.

Rimm, S., *Smart Parenting: How to Parent so Children Will Learn*. Nueva York: Three Rivers Press, 1996.

Satir, V., *Conjoint Family Therapy*. Palo Alto: Science and Behavior Books, 1967.

Schnarch, D., *Passionate Marriage. Sex, Love, and Intimacy in Emotionally Committed Relationships*. Nueva York: W. W. Norton, 1997.

Shoda, Y., W. Mischel, y R K. Peake. "Predicting Adolescent Cognitive and Self-Regulatory Competencies from Preschool Delay of Gratification". *Developmental Psychology* 26, no. 6 (1990): 978-986.

Vaillant, G., *Adaptation to Life*, Boston: Little, Brown, 1977.

Vygotsky, L. S., *Thought and Language*. Cambridge: MIT Press, 1962.

SOBRE LOS AUTORES

John C. Friel, Ph.D., y Linda D. Friel, M.A., son psicólogos autorizados para el ejercicio privado en New Brighton, Minnesota, suburbio de St. Paul. Tienen tres hijos mayores que han dejado el hogar, una perra perdiguero labrador y un cockapoo macho. Los Friel efectúan terapias individuales, de pareja y familiares, y cursos de terapia para hombres y mujeres así como seminarios y talleres en Estados Unidos, Canadá, Inglaterra e Irlanda, para el público en general, hospitales, corporaciones, universidades, clínicas de salud mental y dependencias gubernamentales. También conducen la clínica de Clearlife/ Lifeworks en varias ciudades de Estados Unidos. La clínica es un proceso ligero de tres días y medio diseñado para ayudar a los participantes a descubrir los viejos patrones con los que están tropezando en el presente y comenzar a crear los nuevos patrones que son más sanos.

Son autores de éxitos editoriales como *Adult Children: The Secrets of Dysfunctional Families; An Adult Child's Guide to What's "Normal", The Grown-Up Man: Heroes, Healing, Honor, Hurt, Hope, Rescuing Your Spirit, y The Soul of Adulthood. Opening The Doors.*

Pueden ponerse en contacto con ellos por correo en:
Friel Associates/ClearLife/Lifeworks

P.O. Box 120148
New Brighton, MN 55112-0013
teléfono: 651-628-0220
fax: 612-904-0340
(por favor note el número distinto de código de área para el teléfono y el fax)

Su página web, la cual incluye libros, cintas, calendario de presentaciones y una columna mensual escrita por sus dos perros, Minnesota Sam y Abby, puede localizarse en: www. clearlife.com.

Aguilar es un sello editorial del Grupo Santillana
www.alfaguara.com

Argentina
Av. Leandro N. Alem 720.
C1001AAP, Buenos Aires.
Tel. (54 114) 119 50 00
Fax (54 114) 912 74 40

Bolivia
Av. Arce 2333.
La Paz.
Tel. (591 2) 44 11 22
Fax (591 2) 44 22 08

Colombia
Calle 80, 10-23.
Bogotá.
Tel. (57 1) 635 12 00
Fax (57 1) 236 93 82

Costa Rica
La Uruca,
Edificio de Aviación Civil,
200 m al Oeste
San José de Costa Rica.
Tel. (506) 220 42 42 y 220 47 70
Fax (506) 220 13 20

Chile
Dr. Aníbal Ariztía 1444.
Providencia.
Santiago de Chile.
Telf (56 2) 384 30 00
Fax (56 2) 384 30 60

Ecuador
Av. Eloy Alfaro N33-347
y Av. 6 de Diciembre.
Quito.
Tel. (593 2) 244 66 56
y 244 21 54
Fax (593 2) 244 87 91

El Salvador
Siemens 51.
Zona Industrial Santa Elena.
Antiguo Cuscatlan - La Libertad.
Tel. (503) 2 505 89 y 2 289 89 20

Fax (503) 2 278 60 66

España
Torrelaguna 60.
28043 Madrid.
Tel. (34 91) 744 90 60
Fax (34 91) 744 92 24

Estados Unidos
2105 NW 86th Avenue.
Doral, FL 33122.
Tel. (1 305) 591 95 22 y 591 22 32
Fax (1 305) 591 91 45

Guatemala
7ª avenida 11-11.
Zona nº 9.
Guatemala CA.
Tel. (502) 24 29 43 00
Fax (502) 24 29 43 43

Honduras
Boulevard Juan Pablo,
casa 1626.
Colonia Tepeyac.
Tegucigalpa.
Tel. (504) 239 98 84

México
Av. Universidad, 767.
Colonia del Valle.
03100, México D.F.
Tel. (52 5) 554 20 75 30
Fax (52 5) 556 01 10 67

Panamá
Av. Juan Pablo II, 15.
Apartado Postal 863199, zona 7.
Urbanización Industrial
La Locería.
Ciudad de Panamá
Tel. (507) 260 09 45

Paraguay
Av. Venezuela 276.
Entre Mariscal López y España.
Asunción.
Tel. y fax (595 21) 213 294 y 214 983

Perú
Av. San Felipe 731.
Jesús María.
Lima.
Tel. (51 1) 218 10 14
Fax. (51 1) 463 39 86

Puerto Rico
Av. Rooselvelt 1506.
Guaynabo 00968.
Puerto Rico.
Tel. (1 787) 781 98 00
Fax (1 787) 782 61 49

República Dominicana
Juan Sánchez Ramírez 9.
Gazcue.
Santo Domingo RD.
Tel. (1809) 682 13 82 y 221 08 70
Fax (1809) 689 10 22

Uruguay
Constitución 1889.
11800.
Montevideo.
Tel. (598 2) 402 73 42 y 402 72 71
Fax (598 2) 401 51 86

Venezuela
Av. Rómulo Gallegos.
Edificio Zulia, 1º.
Sector Monte Cristo.
Boleita Norte.
Caracas.
Tel. (58 212) 235 30 33
Fax (58 212) 239 10 51

Este libro se terminó de imprimir
en noviembre de 2007
en los talleres gráficos
de HCI Printing.